海外漢文古醫籍精選叢書·第三輯

2011—2020年國家古籍整理出版規劃項目
2018年度國家古籍整理出版專項經費資助項目
中國中醫科學院「十三五」第一批重點領域科研項目
——我國與「一帶一路」九國醫藥交流史研究（ZZ10–011–1）

蕭永芝◎主編

刪補方要 壹

〔日〕野謙亨 撰

13

北京科學技術出版社

圖書在版編目（CIP）數據

刪補方要/蕭永芝主編. —北京：北京科學技術出版社，2019.1
（海外漢文古醫籍精選叢書. 第三輯）
ISBN 978－7－5304－9998－6

Ⅰ. ①刪… Ⅱ. ①蕭… Ⅲ. ①方書—彙編—日本 Ⅳ. ①R289.2

中國版本圖書館 CIP 數據核字（2018）第282650號

海外漢文古醫籍精選叢書・第三輯・刪補方要

主　　編：蕭永芝
策劃編輯：李兆弟　侍　偉
責任編輯：吕　艷　周　珊
責任印製：李　茗
出 版 人：曾慶宇
出版發行：北京科學技術出版社
社　　址：北京西直門南大街16號
郵政編碼：100035
電話傳真：0086-10-66135495（總編室）
　　　　　0086-10-66113227（發行部）　0086-10-66161952（發行部傳真）
電子信箱：bjkj@bjkjpress.com
網　　址：www.bkydw.cn
經　　銷：新華書店
印　　刷：北京虎彩文化傳播有限公司
開　　本：787mm × 1092mm　1/16
字　　數：690千字
印　　張：57.5
版　　次：2019年1月第1版
印　　次：2019年1月第1次印刷
ISBN 978－7－5304－9998－6/R・2555

定　　價：**1500.00元（全3册）**

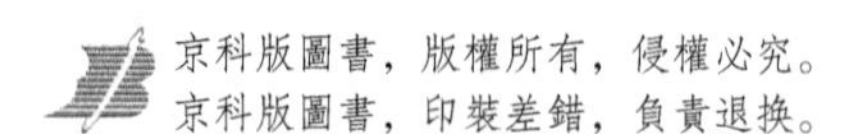

海外漢文古醫籍精選叢書·第三輯

删補方要 壹

〔日〕野謙亨 撰

内容提要

《删補方要》係日本醫方著作，刊成於安永四年（一七七五），由天和三年（一六八三）成書的《醫方提要》删補改刻而成。筆者所見此書刻本僅有封皮題寫書名爲《删補要方》，而扉葉和卷一首葉書名均作《删補方要》，後世著録亦通稱《删補方要》，故今取《删補方要》之名。

此書將臨床各科常見、多發疾病統爲三部、十科，再按病證細分爲一百二十門，采擷中國歷代醫學著述中的名醫良方二千餘首，約博至要，内容獨特，具有較高的臨床實用價值。

一 作者與成書

《删補方要》扉葉作者題爲「好生子著」，卷首凡例之後有黑遠德所撰「好生子小傳」一則，其言：「野氏謙亨，字利誨，號好生子，又號三友齋。其先和州人也，從乃父居勢州龜山矣。」此外，此書正文中多次出現作者的經驗醫方和按語，常標注「野氏」二字。在前述《醫方提要》一書中，卷首淺井璞「醫方提要序」稱：「《醫方提要》，勢陽人野村三友齋所著也。」但在該書卷首作者自己撰寫的「醫方提要叙」末，署名爲野謙亨。在其另一部著作《萬病回春發揮》中，作者署名亦爲野謙亨。故知《删補方要》題署的作者「好生子」即野謙亨。

野謙亭，或作野村謙亭，字利誨，號好生子，又號三友齋，勢州龜山（今屬日本三重縣）人。根據此書「好生子小傳」所載：野謙亭自幼聰慧好學，凡《孝經》、小學、四書、六經，皆能無師自通。十五歲時因病「缺定省於父，乃憾世醫淺功，且悼先妣之横於庸手……遂志於醫」。他以明・龔廷賢《萬病回春》爲始，經過研習，乃悟「愠世之昏昏《素》《靈》《本草》，懵懵四診八要，而唯便小徑之書，以治人病足焉者。於是博涉於諸氏百家之書，而訂其優劣，撰其是非造次，思救民病顛沛，欲正醫謬，乃閉户不接俗子，九易裘葛……編集爲《醫方提要》《約要弗畔》矣」。

《醫方提要》采擷東漢張仲景《傷寒雜病論》以降歷代名醫之經驗良方二千餘首，使證、因、方對應，以七言韵語編成歌括；至安永四年（一七七五），經日本醫家加藤謙齋（别號烏巢道人）删補校正，改題書名爲《删補方要》，由浪速（今屬日本大阪府）星文堂、定榮堂共同刊行。在《删補方要》卷二十之末載有「烏巢先生著述書目」，收録二十七種烏巢先生加藤謙齋編集、校訂的醫藥學著述以及卷册數、内容簡介等，其中就有野謙亭《删補方要》一書。

據《删補方要》書中「引用姓氏」一節，野謙亭的著作有《醫方提要》二十卷附《約要弗畔録》一卷、《醫方經權》二十卷、《本朝方技傳》三卷；又考「好生子小傳」，其著書還有《四診要訣》二卷。現存著作除先後刊行的《醫方提要》《删補方要》外，尚有《萬病回春發揮》三卷，爲注解發揮明・龔廷賢《萬病回春》的著作。

二　主要内容

《删補方要》二十卷。全書將疾病分爲外感、内傷、四肢三部，及總身、頭心、喉胸、心腹、前竅、後竅、婦人、小兒、外科、雜科十科，部與科之下又細分數種病門，總計載述一百二十門疾病及治方。書中主要采録自東漢張仲景以降直至清朝歷代名家醫著中的醫方二千餘首，其間亦有少量野謙亨自擬的醫方。

卷之一，外感部：感冒風寒、傷寒傷風、中寒、疫癘時行。

卷之二，外感部：中風、暑、濕、燥、火。

卷之三，内傷部：勞倦傷、飲食傷。

卷之四，内傷部：氣、血、痰飲、鬱、虚損勞極、陰虚火動。

卷之五，總身科：發熱、惡寒、瘧痎、汗、斑疹、黄（黄疸）、寒熱。

卷之六，頭心科：頭痛、眩運、癇、癲狂譫妄、邪祟、暴死卒倒、驚悸怔忪健忘、虚煩不寐。

卷之七，喉胸科：咳嗽、喘吼、呃逆、噯氣呑酸嘈雜、痞滿、嘔吐惡心、膈噎反胃、霍亂、消渴。

卷之八，心腹科：胸痹、心腹痛、腰痛、脅痛、疝氣、積聚、諸蟲、水腫、脹滿。

卷之九，前竅科：淋澀、閉癃、關格、溺數、濁、溺血、遺溺、遺精。

卷之十，後竅科：泄瀉、痢、下血、秘結、脱肛。

卷之十一，四肢部：麻痹木、痛風、脚氣、鶴膝風、痿躄、厥逆、痓痙，主方歌括、要方歌括。

卷之十二，婦人科：經候、經閉、崩漏、帶下。

卷之十三，婦人科：妊娠、産育、産後、乳汁。

卷之十四，小兒科：初生、撮口噤口臍風、胎驚夜啼、諸驚、癇痓客忤天釣内釣、龜胸龜背顱囟頤、五軟五硬、丹毒。

卷之十五，小兒科：外感、咳嗽、熱、吐瀉、痢、疳、諸積癖疾、腹脹痞結、腹痛、五臟調理。

卷之十六，小兒科：痘瘡、麻疹。

卷之十七，外科：癰疽總方。

卷之十八，外科：大頭腫、瘰癧、癭瘤結核、乳病、肺癰痿、腸癰、便毒、痔漏。

卷之十九，外科：疥癬、癩風、楊梅瘡、疔瘡、折傷、破傷風。

卷之二十，雜科：面、眼、耳、鼻、口舌唇、牙齒、咽喉，要方歌括。

筆者所見底本缺卷之五至卷之八，無總身科、頭心科、喉胸科、心腹科四卷的内容。

三　特色與價值

《刪補方要》將臨床各科疾病按其證候分爲一百二十門，每個病門又根據不同病因、病機、症狀等分型；以韵語歌括形式，概述病證對應的治方；援引中日兩國醫家的相關論述，結合作者一己之見，解説和闡述諸方方意；收録中國歷代名醫良方及少數作者自擬之方。

書中參用多種分類方法，以實用爲原則，便於學者和醫生掌握運用。全書采用臨床分科、部位、病證、病因、症狀、劑型多種分類方法，將所有醫方按照疾病門類分爲：外感、内傷、氣血痰鬱、虛實寒熱、内科雜病、婦人科、小兒科、外科、雜科九個大類。内科雜病又以身體部位分爲總身科、頭心科、喉胸科、心腹科、前竅科、後竅科、四肢部。對於采用這種分類方法的原由，野謙亨在此書凡例中有詳細説明：「凡立門者，先外感、内傷、氣血、痰鬱、虛實寒熱，此百病之所因來也，故明之足以貫通諸病。次内科雜病，自頭至足，從類分卷，以便搜覽。次婦科，只經候妊産詳之，其餘症候，悉於内科取法。次小兒，脆質弱形，异乎成人，故頗詳諸症，其缺者，亦於内科取用，以權輕重。次外科，聚總方於前，分細例於後。次雜科，耳、目、口、鼻之病繁，故輯爲一卷，以終其編。」

每個病門之下根據症狀、病因、病證、劑型的不同又細分爲若干種證型。如感冒風寒門，有無汗、自汗、咳嗽痰粘、壯熱身疼、氣慾吐利、挾内傷、挾濕、挾暑八種證型，前五種按症狀分，後三種以病因分。淋證中有依據臨床常見病證的分型：熱淋、冷淋、氣淋、血淋、石淋、膏淋、勞淋。中風中有按照劑型分類的通關竅之劑、吐痰之劑、導痰之劑、順氣之劑、發表之劑、攻裏之劑、表裏俱通之劑、養血之劑、調理之劑。全書一百二十門基本包含了臨證各科的常見病、多發病，分類明確，便於學者篩選各類疾病的治療之方，方便醫生在臨床中靈活運用，具有較高的實用價值。

韵括證與方，以歌訣形式體現方、證、因之間的對應關繫，易於記誦。野謙亨采録先賢名哲格言，摒弃冗繁，補不足，删有餘，以七言韵語歌括概述病證對應的主治之方。例如，卷一感冒風寒門中，無汗：感寒無汗香蘇散，冬月嚴令用十神。自汗：有汗風邪侵衛分，衛和八解要平勻。咳嗽痰粘：痰粘咳嗽參蘇飲，肌熱芎蘇十味珍。壯熱身疼、氣慾吐利：壯熱身疼宜敗毒，氣慾吐利藿正均。挾濕、挾暑：挾濕頭蒙神术散，暑兼香葛合方新。這種用歌訣形式體現方證對應關繫的編撰方式，既便於檢索，也利於記憶。

擷取歷代經典名方，標明出處，方便讀者追溯原著。《删補方要》所選醫方多數標注了出處，據筆者粗略統計，其中源於漢・張仲景《傷寒論》《金匱要略》、宋代《太平惠民和劑局方》、明・龔廷賢《萬病回春》、李梴《醫學入門》之方最多；其次爲宋・錢乙《小兒藥證直訣》、陳言《三因極一病證方論》，明・虞摶《醫學正傳》、吴崑《醫方考》、龔廷賢《壽世保元》，清・吴謙《醫宗金鑑》等名家名著中的醫方。此外，還有來源於唐・孫思邈《備急千金要方》，宋・嚴用和《嚴氏濟生方》、陳自明《婦人大全良方》，金元四大家醫著，明・陶華《傷寒六書》、龔信《古今醫鑑》、王璽《醫林類證集要》、王肯堂《證治準繩》、陳實功《外科正宗》等書中的醫方。書中所輯歷代名醫良方，多數爲久經臨床驗證，流傳甚廣的經典名方。不過，書中也有幾首標注爲「野氏」的醫方，爲野謙亨自擬或改良的臨床經驗方。如卷一治療中風的吐痰之劑瞑眩散、治療濕熱的芩連除濕湯、治療脾濕的六君子湯加蒼术厚朴以及卷四治療血脱的參歸六乙湯等。

書中所載醫方的主治、組成、用法、加減結構完整，又經合理刪補化裁，簡而不失其要。每首醫方多包含上述幾種基本要素，内容完整。野謙亨對各家醫方有些是原文引録，有些對醫方的主治病證、藥物劑量、服用方法進行了刪減化裁，内容更趨簡明。部分後世流傳廣泛、臨床運用較多的醫方，摘録多部醫學著作記載的相關内容，補充該方的主治病證、加減運用等，有助於讀者理解該方的臨床運用。如卷一感冒風寒門，作者引録《太平惠民和劑局方》參蘇飲，治療感冒風寒所致痰粘咳嗽；方後引用明・熊宗立《名方類證醫書大全》運用此方治療咳嗽聲重、涕唾稠粘，或勞瘥、潮熱往來；又引明・李梴《醫學入門》用此方治療内因七情、痰壅胸、潮熱等。將《太平惠民和劑局方》《名方類證醫書大全》《醫學入門》三書對參蘇飲的運用彙聚一處，有利於讀者拓展思路，通過靈活的加減化裁，有效地擴大了方劑的適應範圍。

援引中日各家論述，參附己見，闡釋方意。在書首「引用姓氏」一節中，作者羅列出引用醫家的信息，有醫家名或著作名，個别還有醫家字號、里籍、著作卷數的記載。書中輯録之方，證、方、藥具備，多數爲久經臨床驗證、療效確切的良方。但是，臨床證候變化多端，若不知所以立、所以用之理，臨證則難以靈活變通運用。故野謙亭除了徵引歷代中日名醫之論，還結合自己對某方方意的理解，以「某某氏曰」「野氏曰」開頭，用小字注於方後，解説該方的具體運用及方中每味藥物的使用意圖，使讀者能够深入理解方藥的内涵，臨證時便可根據病證异同靈活加减處方。

歌括主方、要方，約博至要，使學者掌握各科疾病的核心醫方。此書卷十一之末爲「主方歌括」「要方歌括」，卷二十末亦有「要方歌括」一節。主方歌括和要方歌括將三十六首主方、一百首要方的主治證和方名編爲歌訣。三十六首主方包括桂枝湯、麻黄湯、八解散、香蘇散、升麻葛根湯、白虎湯、小柴胡湯、大承氣湯、小承氣湯、調味承氣湯、大柴胡湯、梔子豉湯、瓜蒂散、猪苓湯、五苓散、理中湯、小建中湯、四逆湯、參萸湯（吴茱萸湯）、不换金正氣散、太無神术散、香薷散、生脉散、五苓散、黄連解毒湯、益氣湯、平胃散、四君子湯、天香湯、四物湯、犀角地黄湯、八物湯、十全大補湯、二陳湯、調中湯、越鞠丸，以這些醫方爲萬病祖方。

卷十一、卷二十的兩處要方歌括共包含一百首醫方。其中，卷十一末的要方歌括主要爲五十首内科醫方，分爲汗、吐、下、和、正、温、凉、滲、潤、補、消、順、活、豁、散、寒、殺、升、降、軟、收二十一類。中國歷代的十劑分類法，將方劑分爲宣、通、補、泄、輕、重、滑、澀、燥、濕十劑。相較而言，野謙亭的吐、升、散對應宣，順、活、消、和、正對應通，補、温對應補，下、凉、寒、殺對應瀉，汗對應輕，降對應重，軟、豁對應滑，收對應澀，滲對應燥，潤對應濕。在卷十一的要方歌括中，作者將内科五十首醫方分爲發表劑、攻裏劑、宣涌劑、和解劑、温寒劑、正氣劑、凉暑劑、滲濕劑、潤燥劑、寒火劑、補虚劑、消食劑、順氣劑、活血劑、豁痰劑、散鬱劑、降上劑、升陷劑、收滑劑、軟堅劑、殺蟲劑二十一類。卷二十末的要方歌括，則包含婦人科十五方、小兒科十五方、外科十五方、雜科五方，共收載五十首要方。

主方和要方各有獨自的顯著特徵。野謙亭在卷十一「主方歌括」之末言：「主方者，藥味少而易記，故不括方味而括治症也；要方者，藥味多而難諳，故括方味而兼言治症。此所以分主方、要方也。」强調臨證運用需區分主方、要方，選擇輕重適宜的醫方。如其在卷十一所言：「行風寒，分輕重，重者桂枝湯，芍、草、薑、棗五味；麻黄湯，桂枝、草、杏四味；輕時八解散六君、藿、朴八味，香蘇散，陳皮、甘草，共四味，尤爲良方。」

綜上所述，《删補方要》輯録中國歷代名醫良方，用較爲特殊的方式分類，并以歌訣韵語概述病因、證候、方藥的對應關繫；采擷中日各家論説及個人之見聞述方意，删繁補缺；歸納主方、要方，方便學者於浩瀚的方劑文獻中獲取核心治病醫方，并在臨床靈活運用，爲醫家和學者提供了方便實用的珍貴資料。

四　版本情況

野謙亭的醫方著作於日本貞享三年（一六八六）刊行時，原題書名爲《醫方提要》，而《删補方要》

是該書的後世改刻本。《醫方提要》二十卷附録一卷，現藏於日本京都大學圖書館、京都大學圖書館富士川文庫、乾乾齋文庫。❶《删補方要》二十卷，刊於安永四年（一七七五），存於京都大學圖書館富士川文庫、乾乾齋文庫（又作《删定方要》）❷及早稻田大學圖書館（又作《删補要方》）。

筆者將京都大學圖書館富士川文庫所藏《醫方提要》與該館及早稻田大學圖書館所藏《删補方要》對比後發現，二書正文二十卷的内容基本相同。不過，《醫方提要》比《删補方要》多出淺井璞「醫方提要序」、野謙亨「醫方提要叙」及附録卷《約要弗畔録》；《删補方要》則較《醫方提要》卷首多出洛陽閔甫子「删補方要序」「好生子小傳」，卷九之首、卷十之末、卷十一之首、卷二十之末多出了「烏巢先生著述書目」等幾則書籍廣告。

本次影印采用的底本，爲日本早稻田大學圖書館所藏安永四年（一七七五）刻本《删補方要》。

此本《删补方要》藏书号为「ヤ09 01163」，二十卷，四册，缺第二册卷五至卷八。和裝，四眼裝幀。四册封皮題箋均書「删補要方」，且分别記有各册所含卷次「自壹至四 卷一」「自九至十一 卷三」「自十二至十六 卷四」「自十七至二十 卷五」。書首扉葉右側刻三行文字，言明本書的分類、内容及文獻來源，并鎸有「好生子著/删補方要全部五册/安永四未年夏五月挍（校）正發行/浪速書肆星文堂/定榮堂合刻」。其後依次爲貞享三年（一六八六）閔甫子「删補方要序」、凡例、貞享丙寅（一六八六）黑遠德撰「好生子小傳」以及「目録」「引用姓氏」。第一册卷一之首將書名刻爲「删補方要」，同册卷四、

❶〔日〕國書研究室.國書總目録：第一卷[M].東京：岩波書店，一九七七：二二.
❷〔日〕國書研究室.國書總目録：第三卷[M].東京：岩波書店，一九七七：八五八.

第三册卷十一書名僅刻一「要」字，第四册卷十五題書名爲「醫方提要」，其餘各卷之首均未鐫書名，僅有卷次。正文烏絲欄，四周單邊，分上下兩欄，上欄刻病證名稱，下欄書病證的具體症狀及治療醫方。下欄每半葉十二行，行十八字。版心白口，無魚尾，書口上方刻書名簡稱「要」及卷次，中部鐫病門名稱，下方刻葉次。全書正文有小字日語旁注，標注日語送假名及語序。全書有許多手書的漢文或日文的眉批、旁注，是閲者所作的隨文批注。卷九之首附「儒書品目」，卷十一之末有「字書品目」，卷十二之首刻「詩文書品」，卷二十之末載「烏巢先生著述書目」，内容均爲星文堂或定榮堂刊刻發行的書籍廣告。書中少數葉面有蟲蛀和殘損。

總之，《刪補方要》是一部獨具特色的日本醫方著作。作者將疾病按照臨床分科歸門，再以部位、病證、病因、症狀、劑型多種方法分類，全面靈活而不囿於單一，方便臨床運用；從浩瀚的中國方藥寶庫中輯録精華良方二千餘首，采精摘要，標注出處，韵括歌訣，刪繁就簡；從衆多文獻中搜集中日兩國諸家富有見地的闡述，以補充闡明原方方意，使學者能够更全面、深層次地認識和理解方藥内涵，在臨床運用中不拘泥於某方某藥，從而達到靈活變通的目的；於萬千方藥中薈萃主方、要方爲核心治方，强調臨證需擇取輕重適宜之方。總之，倘能仔細研讀此書，可以「執一書而知百家，擁一卷而當萬卷」，堪稱學習醫方和臨證施治的佳作。

何慧玲　蕭永芝

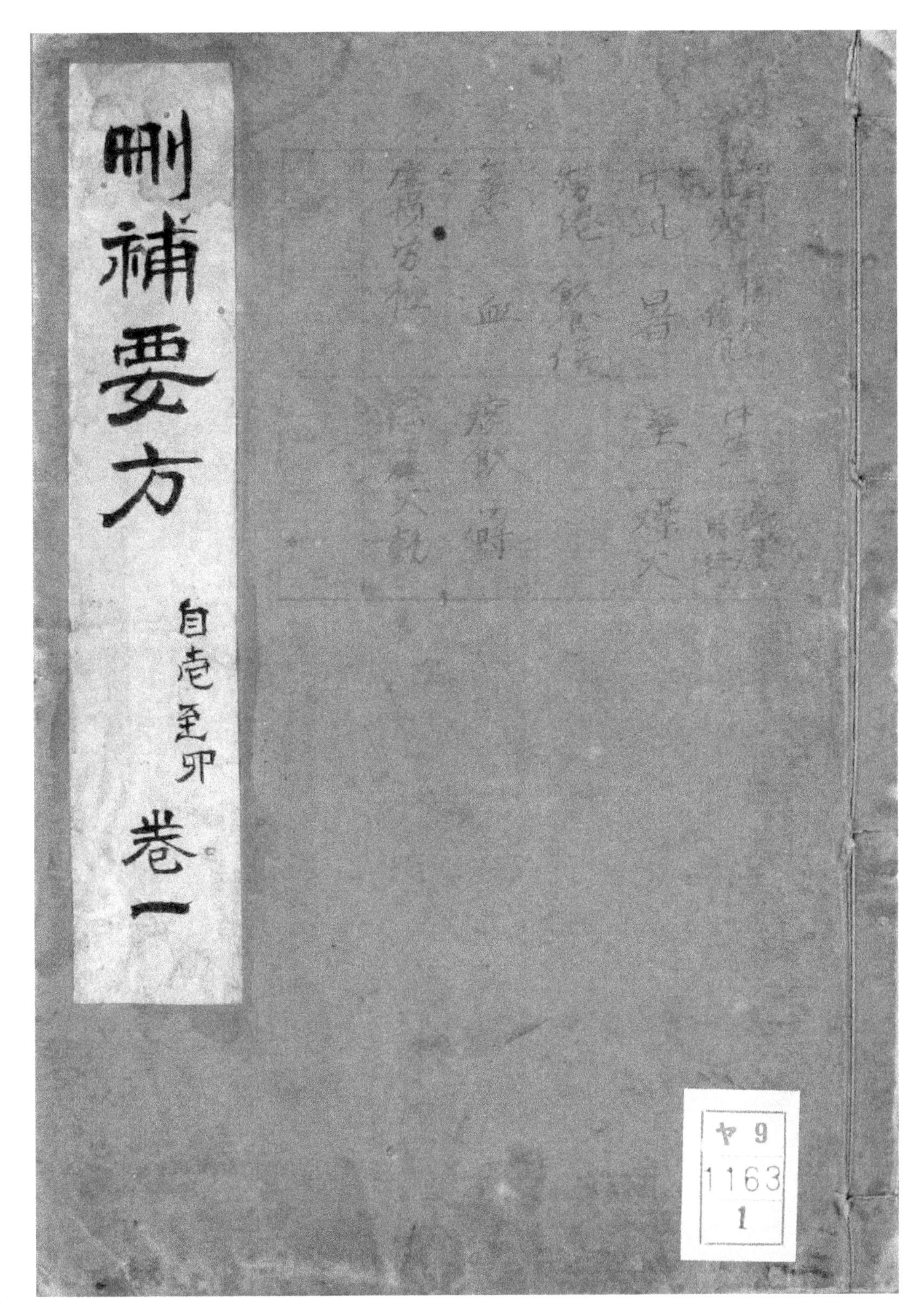
删補要方
自壹至卯
巻一
ヤ 9
1163
1

古醫方後世醫方

病門頌一百二十。漢張仲景先生藥方治論。其外至唐宋元明清。名醫之良方。研究而。載之。凡而二千百餘方。

好生子著

刪補方要

全部五冊

安永四未年夏五月挍正發行

浪速書肆　星文堂　定榮堂　合刻

删補方要序

韓子曰人皆瘵則盲者不知皆默則喑者不知覺而使之視問而使之對則喑盲者窮矣今醫皆自言我能詳病論精藥性然

其書不出則瘖盲者不知其書
一出而后瘖盲聰明判然分矣
提要既出則其聰明著矣故病
家亦使病者投瘖盲者冀於其
偶中不如依聰明者縱之無

悔爲我感此書之所爲務而繫
數言於卷端云
㫖貞享三季季夏日
雒陽閔甫子

和解湯　是桂支湯ノ変方ニメ虚人ノ感冒初発ニ用ル薬ナリ表気薄キ者ニ八見合ニ加減シテ四時可通用労役ノ感冒ニモ用テヨシ　此薬海内ニ弘マル名古屋丹水翁自製ナリ

参軽症去之或以弦渋参代之桂折各一戔　餘䬸七分　守䬸拉七分　苓䬸七分　耳蛛　蒼唐嫌
杏若七分　和　永䬸干七分

右姜棗水煎　初感咳嗽加麻杏貝倍永桂常用発表去参苓

凡例

一凡醫之執方雖不可專拘古方而不知其所以立之所以用之則無以得臨時制宜之妙故提掇古今之要方俾后學知所以規矩識所以準繩云

一凡立門者先外感內傷氣血痰鬱虛實寒熱此百病之所因來也故明之足以貫通諸病次內科雜病自頭至足從類分卷以便搜覽次婦科只經候姙產詳之其餘症候悉於內

科取法次小兒脆質弱形異乎成人故頗詳
諸症其缺者亦於內科取用以權輕重次外
科聚總方於前分細例於後次雜科耳目口
鼻之病繁故輯爲一卷以終其編

一凡言治者皆是名哲格言以拘韻括不許繁
言且有補不足殺有餘而縱刪述者故不盡
著其所採姓名也

一凡採方者本病有因有症如風寒暑溼燥火
氣血痰食鬱滯虛損蟲積疝瘕則皆因也故

乃詳其症以繫方法如頭身喉胸心腹關竅
有患則皆症也故亦明其因而録藥劑矣
一凡諸方分量有太過不及甚不均齊今欲盡
改正之非不才之所及故存舊而直記唯要
用者之在斟酌故記所採之書名於方首以
欲人之知之便於考時世執方上也
一凡有雖古方採今方者如中寒門理中湯小
建中湯則長沙先生之方也然其出霍亂篇
出陽明篇而不言其治中寒故以正傳綱目

爲出處他皆倣之

一凡用生姜者聶氏異述云生姜三片爲引約重二錢依此說則一片之重六分六釐餘也然異述所用藥劑一服之重大抵七八錢既姜大抵一片唯發表之劑用三片宜依此折衷云

一凡用水者陶氏別錄云大畧二十兩藥用水一斗煮取四升爲准然利湯欲生必水而多取汁補湯欲熟多水而必取汁雷氏炮炙論

云凡方中云以水一鎰者每鎰秤之重十二
兩爲度虞氏正傳云水一盞約計半斤之數
也李氏綱目云陶氏所說乃古法也今之小
小湯劑每一兩用水二甌爲准

一凡用銖兩者李氏綱目云十黍曰分二分半
曰字四分曰銖十分曰錢二錢半曰分去聲
四分曰兩十六兩曰斤今古異制古之一兩
今用一錢可也陳氏三因云漢唐所用每兩
則古文六銖錢四個至宋廣秤以開元錢每重

八銖十个爲兩今之三兩得漢唐十兩又曰漢
銅錢質如周錢文曰半兩重如其文則知漢
以二半兩錢爲兩重十銖明矣今漢方嘗用
半兩錢二枚爲一兩○案和劑等方用去聲
分字與平聲分字混而難別故今悉改云二
錢半只存平聲分字而已類經云權以量兩率古一兩今六錢
一凡用升合者李氏綱目云十撮爲勺十勺爲
合十合爲升十升爲斗五斗曰斛二斛曰石
古之一升即今之二合半也陳氏三因曰一

十四銖爲合今以錢準則六銖錢四个也升斗斛皆壘而成數漢唐同用至宋紹興升容千二百銖則古文六銖錢二百个以紹興一升得漢五升類經云量以三爲率古之一斛即今之三斗也

一凡方云巴豆一枚者二分五釐餘也○附子烏頭一枚者半兩也○枳實一枚者一錢二分半也○棗一枚者三錢三分餘也○半夏一升者五兩也○蜀椒一升者三兩也○吳茱萸一升者五兩也○桂一尺者半兩也○

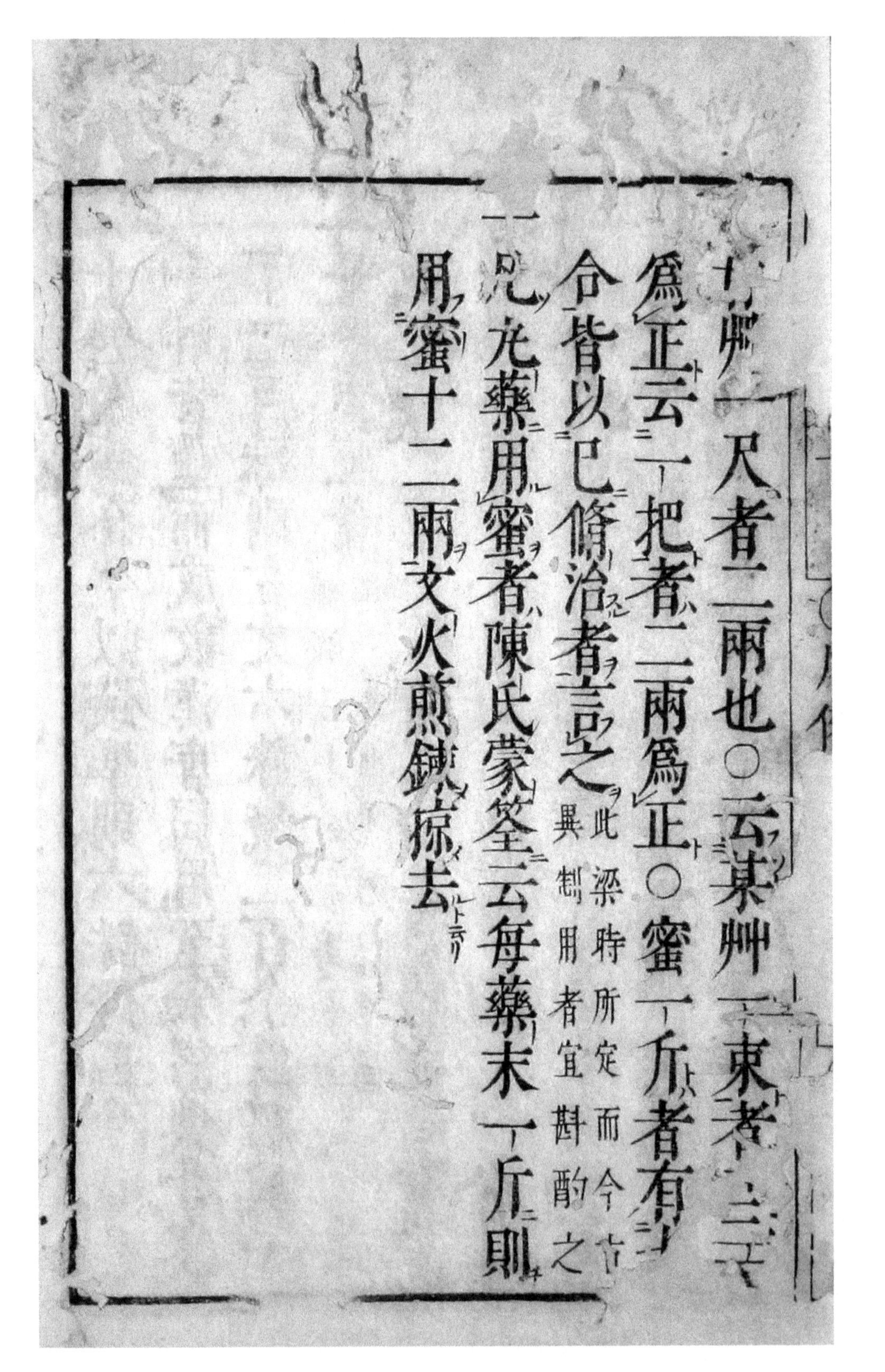

十兩一尺者二兩也○一云某艸一束者三兩
爲正云一把者二兩爲正○蜜一斤者有
合皆以已脩治者言之此梁時所定而今古異制用者宜斟酌之
一凡丸藥用蜜者陳氏蒙筌云每藥末一斤則
用蜜十二兩文火煎鍊掠去

好生子小傳

埜氏謙亭字利誨號好生子又號三友齋其先和州人也從父居勢州龜山矣初而不伍群兒常習文字好讀書乃八歲而始受孝經小學於叔父十歲而授大學於邑長皆能暗誦焉既而四書六經不資講習於師而自能通句讀粗知大義矣其聰慧也如斯十有五年之冬嬰恙久不起而缺定省於父乃憾世醫之淺功且[illegible]疴之横於庸手因思爲人子者不可以

[illegible]子誠哉是言也遂志於[illegible][illegible]老醫乃發
氏回春則取讀之過歲而悉透徹焉治病稍
効也叔父壽軒玄通子善醫在於東武寄書示
曰必勿取雜駁之書宜宗於素問靈樞本艸劉
張朱李之書以李氏醫學入門為歸焉云爾以
降日誦夜記恒矻矻窮年凡三春而漸通其義
乃悟回春之行於世其謬論妄劑實多而難入
門亦不免其承謬傳疑焉且慍世之昏昏素靈
本艸懵懵四診八要而唯便小徑之書以治人

病足爲者於是博涉於諸氏百家之書而訂其
優劣撰其是非造次思救民病顛沛欲正醫謬
乃閉戶不接俗子九易裘葛而辛螢苦雪銳管
城利權國編集爲醫方提要約要弗畔矣誠是
迷之廣博縛捷徑者之雷霆也且治病求其因
辨其症以經爲常以權爲變輯爲醫方經權
二十卷又所著本朝方枝傳三卷四診要訣二
卷韞匱而未出於世云予交會已數載顧夫
丁者器局沉厚居家篤睦淡而不厭古之

崇信於虞夏殷周之道洞視乎河洛圖
書且頡頏於典籍之林縱橫於綴述之場及
於　本朝之羣書無不偏歷覽之且乾夕惕勉
焉未已焉儒而醫也悉力於仁孝吁其天錫爾
類矣哉天錫爾類矣哉
　時維
貞享丙寅之歲孟夏上浣之日蒙養軒黑遠德
　謹書

目錄

卷之九前竅科

卷之十後竅科

吐瀉 痢 瘧

諸積癖疾 腹脹痞結 腹痛

五藏調理

卷之十六

痘瘡 痲疹

卷之十七外科

癰疽總方

卷之十八

大頭腫 瘰癧 癭瘤結核

目錄終

引用姓氏

長沙先生　張機字仲景東漢長沙太守著傷寒卒病論金匱要畧

華氏　陀字元化沛國譙人著中藏經八卷

唐孫氏　思邈京兆華原人著千金方三十卷

唐王氏　燾著外臺秘要四十卷

仲陽先生　錢乙字仲陽宋錢唐人著小兒方三卷

朱氏　肱號無求子宋吳興人著南陽活人書二十卷

嚴氏　用和著濟生方

許氏　叔微字知可宋白沙人著本事方十卷

鶴溪陳氏
成氏
臨川陳氏
河間先生
金張氏
易水先生
東垣先生
海藏王氏
羅氏

言字無擇　宋青田鶴溪人
著三因方十八卷
無已宋聊攝人
註傷寒論著明理論三卷
自明字良甫
著婦人良方外科精要
劉完素字守真金河間人著傷
寒直格二卷宣明論三卷
從政字子和金考城人
著事親方十四卷
張元素字潔古金易州人
著病機機要
李杲字明之元鎮定人著脾胃
論辨惑論祕藏發明試効方
好古字進之元古趙人
著此事難知醫壘元戎十二卷
天益字謙甫　真定人
著衛生寶鑑二十四卷

文江孫氏
平江葛氏
丹溪先生
齊氏
崑山王氏
劉氏
陶氏
熊氏
楊氏

允賢
著醫方集成五卷
乾孫字可久
著勞症十藥神方一卷
朱震亨字彥脩金華人著格致
論局方發揮後人集心法纂要
德之元太醫令
著外科精義
履字安道明崑山人
著醫經溯洄
純字宗厚關中人
著玉機微義醫經小學六卷
華字尚文餘杭人
著傷寒六書
宗立號道軒建陽人
著醫書大全
珣字楚玉號恒齋長安人
著集丹溪心法

孤竹王氏
璽　諱部
著醫林集要十卷

盧氏
和字廉夫東陽人
著集丹溪纂要六卷

節齋王氏
綸字汝言慈溪人
著明醫雜著五卷

虞氏
摶字天民花溪人
著醫學正傳八卷

薛氏
已字新甫號立齋吳郡人
著書十六種

趙氏
繼宗慈溪人
著儒醫精要

婁氏
英字全善
著醫學綱目

葵山吳氏
球
著活人心統諸症辨疑

徐氏
春甫字汝元號思鶴新安人
著古今醫統

南豐李氏　梴　著醫學入門九卷

蓬溪李氏　時珍號東壁　著本艸綱目五十二卷

豐溪吳氏　昆　著醫方考六卷

金溪龔氏　廷賢字之才江西金溪人　著七部書

損菴王氏　肯堂錢唐人　著證治準繩產寶百問

萬氏　全羅田人　著保命歌括廣嗣紀要

崇川陳氏　實功　著外科正宗

田氏　著銀海精微二卷

袁氏　學淵武夷人　著眼科全書五卷

新安孫氏 一奎
著赤水玄珠婦人全書

東井翁 玄朔 號延壽院

岡本氏 玄冶

古林氏 見宜 號正溫子 播州人
著醫家傳習錄
卅入全

森氏 道壽 號柳菴 土州人

長澤氏 著醫方口訣

中山氏 三柳 號華陽軒
著病家要覽八卷遂生雜錄

埜氏 謙亭號三友齋著醫方提要醫
方經權二十卷本朝方技傳

刪補方要卷之一

感冒風寒

感寒無汗香蘇散冬月嚴令用十神

局方○香蘇散　治四時瘟疫傷寒

香附　紫蘇各四兩　陳皮二兩　甘艸一兩

每三錢水一盞煎七分熱服○熊氏大全加姜葱頭疼加芎芷○龔氏壽世發汗加麻黄蒼朮○咳嗽加杏仁桑皮○身痛加羌活烏藥○飽悶加桔梗枳殼○有痰加半夏○嘔吐加藿香○口渴加葛根○夾食加山楂神麯

豐溪吳氏曰南方風氣柔弱傷于風寒俗稱感冒感冒者受邪膚淺之名也內經曰卑下

之地春氣常在故東南卑下之區感風之症居多所以令人頭痛發熱而無六經之症可求者所感人也由鼻而入實於上部不在六經故令頭痛發熱而已是方也蘇附陳皮之辛芬所以疏邪而正氣甘草之甘平所以和中而輔正爾

局方 ○十神湯 治時令不正瘟疫妄行此藥不問陰陽兩感或風寒濕痺皆可服之

陳皮 麻黃 川芎 甘草 香附 紫蘇
白芷 升麻 赤芍各四兩 葛根十四兩

每三錢水一盞半姜五片煎七分熱服○發熱頭痛加葱白○中滿氣實加枳殼○傷寒不分表裡以此導引經絡不致變動

豐溪吳氏曰此治外感風寒之套劑也古人治風寒必分六經見症用藥然亦有只是發熱頭痛惡寒鼻塞而六經之症不甚顯者故亦總以疏表利氣之藥主之而芎葛麻升

感冒疎邪湯
春夏秋感冒
非時小寒脉尺
寸浮及冬時輕
傷寒或老弱久
病虚怯傷寒者
及婦人産前後
皆用之　自汗
桔梗錢　羌活錢二
蘇葉分　陳皮錢一
防风　黄芩錢　前
胡錢　細辛分　升
川芎分　白芷錢二
姜棗

芷蘇香陳皆辛香利氣之品故以解感冒氣塞之症乃赤芍者所以和陰氣於發汗之中而甘草者所以和陽氣於疏利之際也○若南豊李氏曰内乾葛專解陽明瘟疫風邪若太陽傷寒發熱用之是引賊入陽明多發斑疹令世槩用誤哉○埜氏曰麻黄紫蘇發太陽傷寒乾葛升麻解陽明經病川芎白芷止頭痛陳皮香附利氣甘草赤芍和榮衛此盡太陽陽明合病頭痛鼻塞者宜用之

有汗風邪侵衛分冲和八解要平匀

瑣言○防風冲和湯　治傷風有汗脉浮緩

防風　白朮　生地各一錢半　羌活　黄芩

白芷　甘艸各一錢　川芎五分

水煎温服○李氏入門汗未止加黄芪芍藥

埜氏曰防風羌活解肌散風芎芷止頭痛也芩調榮此以風傷衛則衛盛而榮虚也白朮甘草和衛氣而止汗若時在冬月去地芩加炒芍藥柴胡半夏良

八解散　治感風多汗頭痛壯熱咳嗽喘乏嘔逆惡心飲食無味四肢疼倦

人參　陳皮　半夏　甘草　白朮

茯苓　藿香各一兩　厚朴二兩

每二錢水一盞姜三片棗一枚葱白三寸同煎七分溫服

中山氏曰虛症感外邪者雖香蘇散參蘇飲恐泄表氣若用補中益氣恐補住於是用之則外邪解散而正氣調和也○埜氏曰參苓補脾胃朮甘保衛氣陳藿和氣半朴順痰脾胃盛則肌肉堅衛氣強則腠理密氣和則邪去痰順則病除此乃滿坐君子之劑也

痰粘咳嗽參蘇飲肌熱芎蘇十味珍

咳嗽痰粘

參蘇飲　治感冒發熱頭疼痰飲能解肌寬中快膈不傷脾兼治中脘痞滿嘔逆惡心

陳皮　枳殼　桔梗　甘草　木香各半兩
半夏　紫蘇　葛根　前胡　人參
茯苓各七錢半
每四錢水一盞半姜七片棗一箇煎六分微熱
服易簡方不用木香只十味○熊氏大全主咳
嗽聲重涕唾稠粘或勞瘵潮熱往來並能治之
○李氏入門內因七情痰壅胸潮熱等症主之
○肺熱去參加芩朮肺燥去陳半加瓜蔞杏仁

埜氏曰紫蘇乾葛解散風邪半夏桔梗止咳嗽木香陳皮下逆氣前胡枳殼豁粘痰參苓甘草補肺肺氣乃肺虛而冒風咳嗽痰粘氣逆者宜之故吳山甫云勞倦感冒妊娠感冒主之

大全○十味芎蘇散　治四時傷寒發熱頭痛

清肌羌活散
專治傷寒客
熱咳嗽諸痓
頸濕疼頸
疼方症
敗毒散去柴活
加芩葛

壯熱身疼

陳皮三錢半 枳殼三錢 桔梗二錢半 甘艸三錢 半夏六錢
紫蘇 葛根各二錢半 茯苓 柴胡各半兩 川芎七錢
姜棗水煎服
豊溪吴氏曰外有頭痛發熱惡寒內有咳嗽
吐痰氣喘者此方主之芎蘇柴葛解表藥也
表解則頭痛發熱惡寒自愈桔枳陳半茯甘
和裏藥也裏和則咳嗽吐痰氣喘自除

壯熱身疼宜敗毒氣愆吐利藿正均

局方○人參敗毒散 治傷寒時氣頭痛項强壯熱惡
寒身體煩疼及痰壅欬嗽聲重鼻窒嘔噦寒熱
人參 茯苓 甘艸 前胡 川芎
羌活 獨活 桔梗 柴胡 枳殼各等分
每二錢水一盞生姜薄荷各少許煎七分溫服
○龔氏醫鑑咳嗽加半夏○熱毒加芩連○風

熱加荊防○酒毒加葛根黃連○瘡毒加連翹金銀花○回春治四時瘟疫熱毒頭面腫痛痢疾發熱諸般瘡毒小兒驚風痘疹熱毒等症隨病加減用之

○藿香正氣散　治傷寒頭疼憎寒壯熱上喘欬嗽膈氣反胃心腹冷痛嘔惡氣瀉霍亂山嵐瘴瘧遍身虛腫等疾

大腹皮　茯苓　白芷　紫蘇各一兩　陳皮

桔梗　白朮　厚朴　半夏　甘艸各二兩

藿香三兩

每二錢水一盞姜三片棗一枚煎七分熱服○

李氏入門曰寒入腸胃者霍亂轉筋洞泄下利

乾嘔吐逆主之

豐溪吳氏曰風寒客于皮毛理宜解表四時不正之氣由鼻而入不在表而在裏故不用大汗以解表但用芬香利氣之劑以主之芷蘓藿陳腹朴桔梗皆氣勝者也故足以正不正之氣术苓半甘則甘平之品耳所以培養中氣而樹中營之職者也

秋内傷

人參養胃兼傷食勞倦補中益氣眞

局方○人參養胃湯　治外感風寒内傷生冷憎寒壯熱頭目昏疼肢體拘急兼治飲食傷脾發爲咳瘧或中脘虛寒嘔逆惡心或寒瘧寒疫山嵐瘴氣四時瘟疫乃平和之劑溫中解表不致妄擾

厚朴　蒼术　半夏各一兩　藿香　草果

茯苓　人參各半兩　陳皮七錢半　甘草二錢半

每四錢水一盞半姜七片烏梅一箇煎七分熱

服○有寒加附子名十味不換金散

壽世○補中益氣湯

惡風寒鼻流清涕寒禁實竅此脾肺氣虛不能實腠理依本方加麥門冬五味子

挾溼

挾溼頭蒙神朮散暑兼香葛合方新

局方○神朮散　治四時瘟疫頭痛項強發熱惡寒身體痛及傷風鼻塞聲重咳嗽頭昏並治之

藁本　羌活　細辛　白芷　川芎

甘草各一兩　蒼朮五兩

每三錢水一盞薑三片葱白三寸煎七分溫服

挾暑

入門○香葛湯

感冒挾暑者主之即香茹散合升麻葛根湯

正阳散 治阴毒面青四肢厥冷 乾姜五分 附子一钱 甘草五分 广香一分
皂荚一分

阳毒升麻汤 治阳毒赤斑狂言吐脓 温汤覆
取汗则解 升麻一钱 犀角 射干 黄芩 人参 甘草各八分 升麻六物汤
治赤斑口疮赤烂 升广 栀子各一钱 大青 杏仁 黄芩各一钱 葱白三茎

其冬吾四时寒感発散方 身热头痛骨节痛者皆用此発汗
白乾葛一钱 升麻一钱半 紫苏一钱 香附五分 川芎五分 苍术八分 防风六分 陈皮
四分 甘草三分 赤芍四分 白芷四分 羌活八分

発汗后清解方 黄芩六分
柴胡 乾葛各一钱 前胡 枳壳 栀子各六分 白花粉八分 赤芍 桔梗 连翘
荷 甘草各三分

陈艰晦温热発表汤 春温夏热乃冬时受寒
発春夏亦头痛発热身背俱痛六脉浮洪口渴溺赤俱不似之
恶寒用此汤代麻黄汤则不峻利过伤元气倘恶寒甚用加减正
麻黄汤 乾葛二钱 知母一钱半 生地一钱 苏叶一钱 柴胡一钱 白芍二钱 甘草八分
细辛五分 黄芩一钱 淡豆豉二钱 姜葱为引

伤寒八九日风湿相搏身体疼痛不能自转侧不呕不渴脉浮虚
而涩者桂枝附子汤主之若大便坚小便自利者去桂加白术
汤主之 去桂白术附子汤 白术二两 附子一枚半 甘草一两 生姜一两 枣六枚
右五味以水三升煮取一升去滓分温三服一服觉身痹半日许再
服三服都尽其人如冒状勿怪即是术附并走皮中逐水气未得除故
手

麻黄湯治當而無汗以痛発熱悪寒身体疼痛者

口訣

傷風傷寒ノナト喘アリテ汗出ズ頭痛発熱悪寒シテ身疼節々疼者ニ用ユ

傷寒傷風

東宿加味導痰湯治種々有表症挾痰如見岑
導痰湯加人参瓜蔞仁桔梗黄連白朮黄芩

太陽

太陽無汗寒栄血臘月麻黄發表專

仲景○麻黄湯【太陽病】頭痛發熱身疼腰痛骨節疼痛惡風無汗而喘者主之○【太陽病】脉浮緊無汗發熱身疼痛八九日不解表症仍在此當發其汗主之○傷寒脉浮緊不發汗因致衂者主之

阿膠散此気傷寒先服之以安胎却服主薬　阿膠　白朮　桑寄生　人参　茯苓　右為末糯米飲調下

麻黄三兩　桂枝二兩　甘草一兩　杏仁七十個

水九升先煮麻黄減二升去上沫内諸藥煮取二升半溫服覆取微似汗○陶氏加芎芷升麻防風羌活藁本姜葱豉治同○楼氏曰身疼加羌

身体疼ト雖モ強痛

活蒼朮頭痛如槌加姜葱或加藁本蔓荊咳嗽

加半夏桔梗喘加桑皮紫蘇子

成氏曰寒淫於內治以甘熱佐以苦辛麻黃甘草開肌發汗桂枝杏仁散寒下氣○許氏曰寒傷榮則寒邪入陰居脉中是以汗不出而熱以麻黃發其汗以桂枝助其發散○豊溪吳氏曰麻黃之形中空而虛麻黃之味辛溫而薄空則能通腠理辛則能散寒邪故令爲君佐以桂枝取其解肌佐以杏仁取其利氣入甘草者亦辛甘發散之謂也

有汗太陽風衛氣桂枝臘月解肌先

仲景○桂枝湯 太陽病頭痛發熱汗出惡風鼻鳴乾嘔者主之○太陽病外證未解脉浮弱者當以汗解宜之○傷寒不大便六七日頭痛有熱者與承氣湯其小便清者知不在裏仍在表也當須發汗若頭痛者必衄宜之○陽明病脉遲汗

出多微惡寒者表未解也可汗宜之○太陰病

脉浮者可發汗宜之

桂枝三兩　芍藥三兩　甘草二兩　生姜三兩

大棗十二枚

水七升煮取三升適寒温服一升服已須臾歠熱稀粥一升餘以助藥力温覆令一時許通身漐漐微似有汗者益佳不可令如水流漓若一服汗出病瘥停後服不必盡劑若不汗更服依前法○桂枝本爲解肌若其人脉浮緊發熱汗不出者不可與也○若酒客病不可與之得湯則嘔以酒客不喜甘故也○喘家作桂枝湯加厚朴杏子佳○脉浮自汗出小便數心煩微

寒脚攣急不可與之○陶氏加防風川芎羌活藁本姜棗飴治法同汗多加白朮防風汗不止加黃芪胸中飽悶加枳桔

成氏曰辛甘發散爲陽此辛甘之劑也所以發散風邪內經曰風淫所勝平以辛佐以苦甘以甘緩之以酸收之是以桂枝爲主芍草爲佐也內經曰風淫於內以甘緩之以辛散之是以姜棗爲使也○東垣先生曰桂枝湯是陰經榮藥也閉衛氣使陰氣不泄此藥爲衛虛也又曰仲景治表虛製此湯桂味辛熱發散助陽體輕本乎天者親上故爲君芍草爲佐如陽脉濇陰脉弦法當腹中急痛乃製小建中湯以芍爲君桂草佐之一則治其表虛一則治其裏虛故各有主用也○海藏王氏曰傷寒論有當發汗凡數處皆用桂枝湯此乃調其營則衛自和風邪無所容遂自汗而解非桂枝能開湊理發出其汗也汗多則用桂枝者以之調和榮衛則邪從汗出而汗自止非桂枝能閉汗孔也○蓬溪李氏曰腠理不密則津液外泄而肺氣自虛虛則補其母故用桂枝同甘草外散風邪以救表內伏

肝木以防脾佐以芍藥泄木而固脾使以姜棗行脾之津液而和營衛也是則桂枝雖太陽解肌之劑實爲理脾救肺之藥也○崑山王氏曰夏熱用麻黃桂枝之類熱藥發表須加寒藥不然則熱甚發黃或斑出矣此説出於龐安常而朱奉議亦從而和之殊不知仲景立麻黃桂枝湯本不欲用於夏熱之時也其爲溫暑立方必不如此必別有法但惜遺佚不傳也

傷寒發汗已解半日許復煩脉浮數者可更發汗宜桂枝湯主之○服桂枝湯大汗出脉洪大者與桂枝湯如前法○服桂枝湯或下之仍頭項強痛翕翕發熱無汗心下滿微痛小便不利者桂枝湯去桂加茯苓白朮湯主之

成氏曰此外證未止有停飲故與桂枝湯以解外加朮苓行留飲利小便○損菴王氏曰此爲水飲內蓄邪不在表故去桂枝加朮苓夫飲水頭痛不須攻表但宜逐飲飲盡則病

安矣

與桂枝湯便厥咽中乾煩燥吐逆者作甘草乾姜湯與之以復其陽若厥愈足溫者更作芍藥甘草湯與之其脚即伸○發汗後身疼痛脉沉遲者桂枝加芍藥生姜各一兩人參三兩新加湯主之

成氏曰此邪氣未盡而榮血不足也與桂枝湯以解未盡之邪加芍姜參以益不足之血

發汗過多其人叉手自冒心心下悸欲得按者桂枝甘草湯主之

成氏曰此胸中之陽氣不足桂枝之辛走肺而益氣甘草之甘入脾而緩中

發汗後其人臍下悸者欲作奔豚茯苓桂枝甘草大棗湯主之

成氏曰此心氣虛而腎氣發動也茯苓以伐腎邪桂枝能泄奔豚甘棗之甘滋助脾土以平腎氣煎用甘爛水者取不助腎氣也

發汗病不解反惡寒者虛故也芍藥甘草附子湯主之

成氏曰此榮衛俱虛也芍藥之酸收斂津液而益榮附子之辛溫固陽氣而補衛甘草之調和辛酸而安正氣

○太陽病下後其氣上衝者可與桂枝湯方若不上衝者不可與之○太陽病先發汗不解而復下之脈浮者不愈宜桂枝湯主之○太陽病下之後脈促胸滿者桂枝去芍藥湯主之若微惡寒者去芍藥方中加附子湯主之○太陽病下之微喘者表未解故也桂枝加厚朴杏仁湯主

衝起則於之○傷寒若吐若下後心下逆滿氣胸起
則頭眩脉沉緊發汗則動經身為振振搖者茯
苓桂枝白朮甘艸湯主之○下利後身疼痛清
便自調者急當救表宜桂枝湯發汗○本太陽
病醫反下之因而腹滿時痛者屬太陰也桂枝
加芍藥湯主之大實痛者桂枝加大黃湯主之
成氏曰桂枝解表芍藥和裏大黃下大實
○傷寒脉浮醫以火迫劫之亡陽必驚狂者桂枝
去芍加牡蠣龍骨蜀漆湯主之○奔豚氣上冲
心者桂枝加桂三兩湯主之
成氏曰芍益陰非亡陽所宜也火邪錯逆蜀漆之辛散之陽氣亡脫龍蠣之澁固之
○太陽病發汗遂漏不止其人惡風小便難四支

微急難以屈伸者桂枝加附子湯主之

成氏曰此陽氣益虛故

加附子以溫經復陽

春秋夏月從輕劑羌活沖和易水傳

○九味羌活湯　易水先生方　經曰有汗不得服麻黃無汗不得服桂枝若差服則其變不可勝數故立此方使不犯三陽禁忌解利神方

羌活　治太陽肢節痛君主之藥也然非無以爲主故太無不入小無不至也

防風　治一身盡痛乃卒伍卑賤之下職一聽君命將令而行隨所使引至之

蒼朮　雄壯上行之藥能除濕下氣及安太陰使邪氣不傳足太陰脾也

細辛　治足少陰腎苦頭痛

川芎　治厥陰頭痛在腦

白芷　治陽明頭痛在額

生地治少陰心熱在内
黄芩治太陰肺熱在胸　甘艸能緩裏急調和
陶氏瓚言用羌蒼各一錢半防芩芎芷地草各
一錢細辛五分名羌活冲和湯不問四時但有
頭痛骨節疼發熱惡寒無汗脉浮緊者宜用此
湯以代麻黄爲穩當如惡風自汗脉浮緩者宜
用防風冲和湯即羌活冲和湯中去蒼辛加白
朮防風是也○李氏入門曰此方發春夏秋三
時表症代桂枝麻黄青龍各半四方并治四時
感冒疫癘晩發等症○有痰去地加半夏○肌
熱加柴胡葛根○惡風自汗加桂枝夏去桂加
芍藥

入陽症備身
体強脉却沉
達
本方加瓜蔞根啜粥微汗
之
海藏治柔痓前方加
川芎防风

勞力

丹溪呉氏曰藥之為性辛者得天地之金氣於人則為義故能臣正而黜邪羌防蒼辛芎芷皆辛物也分經而主治而防風者又諸藥之卒徒也用生地所以去血中之熱而甘草者又所以和諸藥而除氣中之熱也○南豊李氏曰三時暄熱傷寒則不敢用冬月麻黄而發表故代以羌活蒼术傷風則不敢用冬月桂枝而實表故代以防風白术芎芷辛發表以代杏仁地黄救血以代芍藥加黄芩以順天時也

勞力傷寒尤勿發調營養衛節菴全

書六十一 調營養衛湯　治勞力内傷氣血外感風寒頭疼身熱惡寒微渇自汗身體酸軟無力

即益氣湯去升加生地川芎細辛羌活防風姜棗葱水煎溫服○元氣不足者加升麻少許以升之○汗不止去芐加芍○丹溪先生曰傷寒挾内傷者十居八九經云邪之所湊其氣必

要卷一　○傷寒

虛補中益氣湯從六經所見之證加減用之氣虛甚者必加附子以行參芪之氣○盧氏曰如見太陽症加羌活藁本桂枝陽明加葛芷升麻少陽加芎芩半夏太陰加枳實厚朴少陰加甘艸苦蔞厥陰加川芎

陽明

陽明經病升麻葛惡熱渴煩白虎煎

方考○升麻葛根湯

傷寒目痛鼻乾不眠無汗惡寒發熱者陽明經症也主之○埜氏曰頭額痛加白芷身疼加蒼朮胸鬲痞滿加桔梗枳殼咳嗽加杏仁有痰加半夏表熱倍葛根

豐溪吳氏曰藥之爲性辛者可使達表輕者可使去實升葛辛輕者也故用之達表而去

大渴引飲實寒邪之傷人也氣血爲之壅滯佐以芍藥用和血也佐以甘草用調氣也○易水先生曰若大陽初病未入陽明而頭痛者不可便服升麻葛根發之是反引邪氣入陽明爲引賊破家也

六書○柴葛解肌湯　治症如前

葛根　芍藥　甘草　茈胡　黄芩

羌活　石膏　白芷　桔梗

薑水煎服本經無汗惡寒去芩加麻黄夏秋換蘇葉

仲景○白虎湯　服桂枝湯大汗出後大煩渴不解脉洪大者白虎加人參湯主之○傷寒無大熱口燥渴心煩背微惡寒者白虎加人參湯主之○傷寒脉浮發熱無汗其表不解者不可與白虎

湯渴欲飲水無表症者白虎加人參湯主之○三
傷寒脉滑而厥者裏有熱也白虎湯主之○三
陽合病腹滿身重難以轉側口不仁而面垢譫
語遺尿發汗則譫語下之則額上生汗手足逆
冷若自汗出者白虎湯主之

知母六兩 石膏一斤 甘草二兩
粳米六合 人參三兩

水一斗煮米熟湯成去滓溫服○傷寒若吐若
下後七八日不解熱結在裏表裏俱熱時時惡
風大渴舌上乾燥而煩欲飲水數升者白虎加
人參湯主之○陽明病下後若渴欲飲水口乾
舌燥者白虎加人參湯主之○朱氏活人遂溫

症熱不退而大便溏加蒼朮○局方曰治夏月中暑毒汗出惡寒身熱而渴此藥立夏後立秋前可服春月及立秋後並亡血家並不可服○王氏難知曰陽明傳入少陰白虎加桂湯主之○老幼及虛人傷寒五六日昏冒譫語或小便淋或澁起臥無度或煩而不眠者白虎加梔子湯主之○虞氏正傳曰陽明症下後大便不硬熱不退者加蒼朮○龔氏醫鑒曰無汗脉浮表不解而陰氣盛雖湯不可用白虎湯汗後脉洪而渴裏有熱乃可用

成氏曰熱淫所勝佐以苦甘母膏苦甘以散熱熱者傷氣甘以緩之草米之甘以益氣○又曰白虎西方金神也應秋而歸肺熱甚于內者以寒下之熱甚于外者以涼解之其

症不調
治食積米傷寒
有表症氣口緊
盛但身不痛也
平胃散加枳朮曲
洞菓連乾陶氏方
麝木香服姜
柴胡百合湯
百合病者非寒
非熱欲食不食
欲行不行欲坐
不坐服藥則吐
小便赤如見鬼云
之百合病
柴胡黃芩人參
知母百合生地黃
陳皮甘草

柴胡飲 治半表半裏 蒿斤ミ條芍各 一草桔會各兩 加梅善耳水 前人

有中外俱熱，內不得泄，外不得發，非是湯則不能解暑暍之氣，得秋而止，故曰處暑是湯以白虎名，謂能止熱也。○東垣先生曰：身以前胃之經也，胸胃肺之室也，邪在陽明，肺受火制，故用辛寒以清肺，所以號爲白虎也。○豊溪吳氏曰：石膏大寒，清胃；知母味厚，生津。太寒之性，行恐傷胃氣，故用草米以養胃。

六書○如神白虎湯 治陽明身熱渴而有汗不解，或經汗過渴不解者，脉微洪，即前方加人參、麥冬、五味、山梔、薑、棗、竹葉。

少陽半表小柴和解劑

仲景○小柴胡湯 本太陽病不解，轉入少陽者，脇下鞕滿，乾嘔不能食，往來寒熱，尚未吐下，脉沉緊者，與之。○傷寒中風五六日，往來寒熱，胸脇苦滿，默默不欲飲食，心煩喜嘔，或胸中煩而不嘔

小柴胡加 苦滿或寒熱往來或咽者
胸脇ノ苦滿ヲ目的トシ寒熱ノ往來モ咽モ皆此ヲ見ルトスヘシ苦滿ナケレハ柴方ノ効ナキモノ也

活人云灸後燒針後症与火邪発狂者同小柴胡湯加龍骨蛎治之
発汗後不解作躁作静直視口噤寒熱往來脉絃者阳病风痙因本方加防风名柴胡防风湯

或渴或腹中痛或脇下痞鞕或心下悸小便不利或不渴身有微熱或欬者主之○傷寒四五日身熱惡風頸强脇下滿手足溫而渴者主之○傷寒中風有柴胡症但見一證便是不必悉具○傷寒差後更發熱者主之○婦人中風寒熱發作有時經水適斷者此爲熱入血室主之○傷寒五六日頭汗出微惡寒手足冷心下滿口不欲食大便鞕脉細者此爲半在表半在裏可與之○陽明病發潮熱大便溏小便自可胸脇滿不去者主之○陽明病脇滿不大便而嘔舌上胎滑者與之○陽明病脉弦浮大而短氣腹滿脇下及心痛又按之氣不通鼻乾不得汗

柴胡加桂支湯
治小柴胡湯症與
桂支湯症相合者
留飲苦満シテ上
逆頭痛ナドノ症ニ用ユ
柴胡加芒硝湯
治小柴胡湯症而
苦満雖解者
即小柴胡湯症ニシテ
腹中堅塊アリテ
苦満解シカタキニ
用ユルナリ

嗜臥一身及面目悉黄小便難有潮熱時時噦
耳前後腫刺之少差外不解病過十日脉續浮
者與之○厥陰病嘔而發熱者主之
柴胡半斤　黄芩三兩　人參三兩　甘草三兩
半夏半斤　生薑三兩　大棗十三枚
水一斗二升煮取六升去滓再煎取三升溫服
○胸中煩而不嘔去半夏加括蔞實一枚○渴
者去半夏加人參一兩半括蔞根四兩○腹中痛
者去黄芩加芍藥三兩○脇下痞鞕去棗加牡蠣
四兩○心下悸小便不利者去黄芩加茯苓四兩
○不渴外有微熱者去人參加桂三兩○欬者去
參薑棗加五味子半升乾薑二兩

當歸飲子 治傷寒病後餘熱不退或日晡潮熱等症

和解散 治四時傷寒發汗後經中餘熱不解

○凡柴胡湯病証而下之若柴胡症不罷者復與柴胡湯必蒸蒸而振却發熱汗出而解○得病六七日脉遲浮弱悪風寒手足溫醫二三下之不能食而脇下滿痛面目及身黃頸項強小便難者與柴胡湯後必下重本渴而飲水嘔者柴胡湯不中與也○傷寒六七日發熱微悪寒支節煩疼微嘔心下支結外症未去者柴胡加桂枝湯主之○傷寒十三日不解胸脇滿而嘔日晡所發潮熱已而微利此本柴胡症下之而不得利今反利者知醫以丸藥下之非其治也潮熱者實也先宜小柴胡湯以解外後以柴胡加芒硝湯主之○傷寒八九日下之胸滿煩驚

煩渴加麥門冬竹葉
谷寒實結胸痛無煩躁未症
理中湯加洞腰

小便不利譫語一身盡重不轉側者柴胡加龍骨牡蠣湯主之○丹溪活套曰若兼腹滿自利已見太陰證而少陽証尤未除者本方中加五苓散名柴苓湯○龔氏醫鑒曰嘔加陳皮竹茹薑汁○脇痛加青皮○飽悶加枳桔○本經與陽明經合病加葛芍○熱入血室男加生地女加當歸紅花○壞症加鼈甲○內熱甚錯語心煩不得眠合黃連解毒湯○內熱甚惡熱煩渴飲水者合白虎湯○血虛發熱夜甚加四物湯○活人書曰若過經無表症又無裏症小柴胡湯隨症加減用之○陶氏曰凡治傷寒尺脉弱而無力者切忌汗下寸脉弱而無力者切忌發

柴胡桂姜湯
治小柴胡湯症而
不呕不痞上衝而渴
腹中有動者
胷脘苦滿不寒胷
サキ痞ヘス呕モ無ク唯
逆上シテ口乾キ喉丘
二動悸アル者ニ用ユ

吐俱宜小柴胡和之○凡傷寒汗下後不可便用參芪大補宜用小柴胡加減和之

成氏曰熱淫于内以苦發之此芩之苦以發傳邪之熱裏不足者以甘緩之參草之甘以緩中和之氣裏邪半入裏則裏氣逆辛以散之半夏以除煩嘔邪半在表則榮衛爭之辛甘解之薑棗以和榮衛○王氏難知曰茈少陽半太陽芩陽明參太陰草太陰薑棗辛甘發散夫少陽症忌汗忌滲忌下故名三禁湯○豐溪吳氏曰柴胡辛溫辛者金之味故用之以平木溫者春之氣故就之以入少陽邪之傷人常乘其虛用參草者欲中氣不虛邪得復傳入裏耳

仲景○柴胡桂枝乾薑湯 傷寒五六日已發汗而復下之胸脇滿微結小便不利渴而不嘔但頭汗出往來寒熱心煩者此爲未解也主之

柴胡半斤 桂枝三兩 乾薑三兩 括蔞根四兩

大柴胡湯
治小柴胡湯而心下不痞鞕腹滿拘攣或嘔者
留服苦滿不止
留サキ不痞服ニ
リ有テヒキツリ痛
者ニ用

有表
有裏

黃芩三兩 牡蠣三兩 甘艸二兩

水一斗二升煮取六升去滓再煎取三升溫服

成氏曰内經云熱淫於内以苦發之柴芩之苦以解表之邪辛甘發散爲陽桂枝之辛甘以散表之邪鹹以耎之牡蠣之鹹以消胸脇之滿辛以潤之乾薑之辛以固陽虛之汗津液不足而爲渴以堅之栝蔞之苦以生津液

陽明帶表太柴證

仲景○大柴胡湯　傷寒熱結在裏復往來寒熱者與之○傷寒發熱汗出不解心中痞鞕嘔吐而下利者主之

柴胡半斤 黃芩三兩 芍藥三兩 半夏半斤

生薑五兩 枳實四枚 大棗十二枚 大黃二兩

水一斗二升煮取六升去滓再煎溫服○太陽

病過經十餘日反二三下之後四五日柴胡症仍在者先與小柴胡湯嘔不止心下急鬱鬱微煩者為未解也與大柴胡湯下之則愈○朱氏活人曰若過經無表裏症但大便鞕者用大柴胡下之○局方曰若身體疼痛是表症未解也不可服之○陶氏曰大柴胡湯則有表邪尚未除而裏症又急不得不下只得此湯通表裏而緩治之猶有老弱及血氣兩虛之人不宜用此

成氏曰柴芩之苦入心而折熱枳芍之酸苦湧泄而扶陰辛者散也半夏之辛以散逆氣辛甘和也薑棗之辛甘以和營衛又曰方有緩急輕重醫當臨時斟酌如大滿大實堅有燥屎者非駛劑則不能泄是以有大小承氣之峻也如不至大堅滿惟邪熱甚而攻下者又非承氣湯之可投必也輕緩之劑乃大柴胡湯用以逐邪熱也○海藏王氏曰表裏俱

急欲汗之則裏也欲下之則表仍在故以小柴胡中藥調和三陽是不犯諸陽之禁也以芍藥下安太陰使邪氣不納以大黄去地道不通以枳實去心下痞悶○薑溪吳氏曰表症未除故用柴芩以解表裏症燥實用黄枳以攻裏芍能和少陽半夏能治嘔逆棗薑又所以調中而和榮衛也

裏症

傳經裏實三陰症承氣三方察滿堅

仲景○調胃承氣湯　太陽病三日發汗不解蒸蒸發熱者屬胃也主之○傷寒吐後腹脹滿者與之○陽明病不吐不下心煩者可與之○傷寒不大便六七日頭痛有熱者與之其小便清者知不在裏仍在表也○發汗後惡寒者虛故也不惡寒但熱者實也當和胃氣與之

大黄四兩　甘艸二兩　芒硝半觔

水三升煮取一升去滓入芒硝更上火微煮令沸溫服○傷寒十三日不解過經譫語者以有熱也當以湯下之若小便利者大便當鞕而反下利脉調和者知醫以丸藥下之非其治也若自利者脉當微厥今反和者此爲內實也主之○太陽病過經十餘日心下溫溫欲吐而胸中痛大便反溏腹微滿鬱鬱微煩先此時自極吐下者與之若不爾者不可與

成氏曰內經云熱淫於內治以鹹寒佐以苦甘芒硝鹹寒以除熱大黃苦寒以蕩實甘草甘平助二物推陳而緩中○海藏王氏曰調胃承氣湯治實而不滿不滿者腹狀如仰瓦腹中轉而失氣有燥屎不大便而譫語者上陶氏曰邪在中焦則有燥實堅三症故用調胃承氣湯以甘草和中芒硝潤燥大黃泄實不用枳朴者以傷上焦虛無氤氳之輕清之

小承氣湯
治腹滿大便鞕者
腹脹リテ大便秘
結シ又ハ大便通スレ
圧カタキ者ニ用腹
脹リノ有ッ目的ニ
用ユ

元氣調胃之名於此立

仲景○小承氣湯

陽明病腹大滿不通者可與之微和胃氣○陽明病不大便六七日恐有燥屎欲知之法少與之湯入腹中轉失氣者此有燥屎乃可攻之○陽明病多汗胃中燥大便鞕譫語者主之○陽明病譫語發潮熱脉滑而疾者主之○下利譫語者有燥屎也宜之

大黃四兩　厚朴二兩　枳實三枚

水四升煮取一升二合溫服

成氏曰大熱結實者與大承氣湯小熱微結者與小承氣湯以熱不大甚故於大承氣湯去芒硝又以結不至堅故亦減枳朴也○海藏王氏曰小承氣湯治實而微滿心下痞大便或通熱甚可下者宜此○丹溪先生曰大黃之寒其性善走佐以厚朴之溫善行滯氣

大美氣湯治腹堅滿若下利臭穢若燥屎腹脹堅滿而大便不通又ハ臭キ物ヲ下シ又ハ燥屎アル者ニ用ユ燥屎ハ腑下ヲ按シテ堅キコロくシタル物手ニサワルニ血塊ナトノ手サワリトハ各別ノ違イニ

緩以甘草之甘飲以湯液灌溉腸胃滋潤輭快無所留滯積行即止○陶氏曰上焦受傷者爲痞實用小承氣枳朴除痞大黃泄實去芒硝則不傷下焦血分之真陰謂不伐其根也○南豊李氏曰見其病之小熱小實小滿者宜

○大承氣湯　陽明病汗出不惡寒身重短氣腹滿而喘有潮熱者此外欲解可攻裏也手足濈然而汗出者此大便已鞕也主之若汗多微發熱惡寒者外未解也其熱不潮未可與承氣湯○傷寒六七日目中不了了睛不和無表裏症大便難身微熱者此爲實也急下之○病人小便不利大便乍難乍易時有微熱喘冒不能臥者有燥屎也宜之○陽明病譫語有潮熱反不能食者胃中必有燥屎也宜之○少陰病自利

清水色純青心下必痛口乾燥者急下之○少
陰病六七日腹脹不大便者急下之○下利脉
反滑當有所去下之乃愈
大黄四兩 厚朴半斤 枳實五枚 芒硝三合
水一斗先煮二物取五升去滓內大黄煮取二
升去滓內芒硝更上火微一兩沸溫服得下則
已○大下後六七日不大便煩不解腹滿痛者
此有燥屎也宜之○傷寒吐下後不解不大便
五六日上至十餘日日晡潮熱不惡寒獨語如
見鬼狀劇者不識人循衣摸牀者主之○陽明
病下之心中懊憹而煩胃中有燥屎者可攻○
朱氏活人曰手足逆冷大便祕小便赤脉沉而

麻子仁丸
治平日大便秘者
平常ノ持病ニ大便秘結ニシテ苦ニ用ユ

滑者陽症似陰也輕者白虎湯重者承氣湯
傷寒失下血氣不通令四支逆冷此是伏熱深
故厥亦深速以大承氣湯加膩粉下之
成氏曰內經云燥淫所勝以苦下之黃枳之苦以潤燥除熱又云燥淫於內治以苦溫厚朴之苦下結燥又云熱淫所勝治以鹹寒芒硝之鹹以攻蘊熱○海藏王氏曰厚朴去痞枳實泄滿芒硝軟堅大黃泄實必痞滿燥實堅四症全者方可用之○南豊李氏曰見其病之大熱大滿大實者宜之

仲景○麻子仁丸　趺陽脉浮而濇浮則胃氣強濇則小便數浮濇相搏大便則難其脾爲約主之
麻子仁二升　芍藥半升　大黃一升　厚朴一斤
枳實半斤　杏仁一斤
爲末煉蜜爲丸桐子大飲服十丸以和爲度

成氏曰内經云脾欲緩急食甘以緩之麻杏之甘緩脾而潤燥津液不足以酸收之芍藥之酸以收津液腸燥胃强以苦泄之枳朴大黄之苦下燥結而泄胃强也

六青〇六乙順氣湯　治傷寒熱邪傳裏大便結實口燥咽乾怕熱譫語揭衣狂妄揚手擲足斑黄陽厥潮熱自汗胸腹滿硬遶臍疼痛等症是以代大小調胃三乙大柴大陷等湯之神方也

大黄　枳實　厚朴　芒硝

柴胡　黄芩　芍藥　甘草

煎法同大承氣湯臨熟入鐵秀水三匙調服立效取鐵性沉重最能墜熱開結故也

仲景〇蜜煎導法　陽明病自汗出若發汗小便自利者此爲津液内竭雖硬不可攻之宜導之

蜜七合內銅器中微火煎之稍凝似飴狀攪之勿令焦著欲可丸併手捻作挺令頭銳大如指長二寸許當熱時急作冷則硬以內穀道中以手急抱欲大便時乃去之○龔氏醫鑑曰加皂莢末少許更妙

仲景○厚朴生姜甘艸人參半夏湯 發汗後 腹脹滿者主之○成氏曰發汗後邪氣已散也腹脹知非裏實由脾胃津液不足氣濇不通壅而爲滿內經云脾欲緩急食甘以緩之用苦泄之厚朴之苦以泄腹滿參艸之甘以益脾胃薑夏之辛以散滯氣

吐劑豉梔瓜蔕末

梔子豉湯
治心中懊憹者
胷中煩熱シテ
持苦モシク不能眠
者ニ用ユ
梔子甘草豉湯
治本方症而急
迫者
梔子豉湯ノ症ニ
テ息セワシク急迫
スルニ用ユ

仲景○梔子豉湯　發汗吐下後虛煩不得眠劇者必
反覆顛倒心中懊憹主之○發汗若下之而煩
熱胸中窒者主之○五六日大下後身熱不去
心中結痛者主之○陽明病脉浮而緊咽燥口
苦若下之胃中空虛客氣動膈心中懊憹舌胎
者主之○陽明病下之其外有熱手足溫不結
胸心中懊憹饑不欲食但頭汗出者主之○下
利後更煩按之心下濡者爲虛煩宜之
梔子　十四枚　香豉　四合
水四升先煮梔得二升半內豉煮取一升半溫
服得吐而止○凡用梔子豉湯病人舊微溏者
不可與○若氣少者梔子甘草豉湯主之○其

嘔者梔子生薑豉湯主之○下後心煩腹満臥起不安者梔子厚朴枳實湯主之○醫以丸藥大下之身熱不去微煩者梔子乾薑湯主之○王氏難知曰若有宿食而煩躁梔子大黄湯主之

成氏曰酸苦湧泄爲陰苦以湧之寒以勝熱梔豉相合吐劑宜矣又曰吐症亦自不同如不經汗下邪氣蘊鬱于膈則謂之實應以瓜蒂散吐胸中之實邪也若發汗吐下後邪氣乘虛留于胸中則謂之虛煩應以梔子湯吐之此吐胸中虛煩也○海藏王氏曰煩者氣也躁者血也氣主肺血主腎梔以治肺煩豉以治於腎燥

仲景○瓜蒂散　病如桂枝症頭不痛項不強寸脉微浮胸中痞鞕氣上沖咽喉不得息者此爲胸有寒也當吐之○病人手足厥冷脉乍緊者邪結在胸中心中満而煩飢不能食者病在胸中當

吐之○少陰病飲食入口則吐心中溫溫欲吐復不吐始得之手足寒脉弦遲者此胸中實當吐之若膈上有寒飲乾嘔者不可吐也○病胸上諸實胸中鬱鬱而痛不能食欲使人按之而反有涎唾下利日十餘行其脉反遲寸口脉微滑此可吐之

瓜蔕一分　赤小豆一分

各爲散一錢七以香豉一合用熱湯七合煮作稀糜去滓取汁和散溫頓服之不吐者少少加得快吐乃止諸亡血虛家不可與

成氏曰其高者越之越以瓜蔕豉之苦在上者涌以赤小豆之酸内經云酸苦涌泄爲陰○吳氏方考曰傷寒胸中多痰而頭痛者此方吐之

猪苓湯
治小便不利若淋
瀝若渴欲飲水者
小便通シ兼又ハ小
便スレハ陰莖ノ中痛
血或膿ナト出ルヲ
目的トスヘシ小便
洗リ渴シテ欲飲
水計ハ五苓散ノ主
治ナリ猪苓湯ハ
血カ膿ノ出ルヲ目
テトスヘシ

滲方　猪苓五苓研ス

○猪苓湯　[陽明病]下後若脉浮發熱渴欲飲水
小便不利者主之○[少陰病]下利六七日欬嘔
渴心煩不得眠者主之
猪苓　茯苓　阿膠　滑石　澤瀉　各一兩
水四升先煮四味取二升去滓内下阿膠烊消
温服○陽明病汗出多而渴者不可與之

成氏曰甘甚而反淡淡味滲泄爲陽猪茯之
甘以行小便鹹味湧泄爲陰澤瀉之鹹以泄
伏水滑利竅阿膠滑石之滑以利水道○豊
溪吳氏曰四物滲利則又有下多亡陰之懼
故用阿膠佐之以
存津液於決瀆爾

○五苓散　[太陽病]發汗後大汗出胃中燥煩躁
不得眠若脉浮小便不利微熱消渴者與之○

中風發熱六七日不解而煩有表裏症渴欲飲水水入則吐者名曰水逆主之○本以下之故心下痞與瀉心湯痞不解其人渴而口燥煩小便不利者主之○病在陽應以汗解反以冷水噀之其熱被刼不得去彌更益煩肉上粟起意欲飲水反不渴者服文蛤散若不差者與之

猪苓十八銖　澤瀉一兩六銖半　茯苓十八銖　桂半兩

白朮十八銖

爲末以白飲和服方寸七日三服多飲煖水汗出愈○虞氏正傳曰或加薑棗水煎服○朱氏活人曰脉浮而大爲表煩渴尿赤爲裏五苓散主之○王氏難知曰五苓散乃太陽裏之下藥

大青龍湯治喘及咳嗽欲飲水上衝或身疼惡風者金匱曰病溢飲者當發其汗大青龍湯主之参考スルニ上ニ所謂病狀皆飲家ニ屬ス者ニ渴ト煩燥トヲ目的ニスヘシ小青龍湯症ニモ渴アレドモ目的トスルニアラズ大青龍ハ渴ヲ目的トスヘシ

也太陽高則汗而發之下則引而竭之渴者邪入太陽本也當下之使從膀胱出也○中山氏曰有太陽症小便如常口不渴者邪在經也宜汗而發之有太陽症小便不利口渴者邪入本也當滲而竭之

成氏曰豬苓朮苓之甘淡潤虛燥而利津液澤瀉之鹹以泄伏水桂枝之辛以和肌表○豊溪吳氏曰桂性辛熱辛熱則能化氣經曰膀胱者州都之官津液藏之氣化則能出矣此用桂意也

兩傷

兩傷煩躁青龍大輕者桂麻各半方

○大青龍湯　太陽中風脉浮緊發熱惡寒身疼痛不汗出而煩躁者主之○傷寒脉浮緩身不疼但重乍有輕時無少陰症者發之

労力感寒陶華曰労力内傷元気外感風寒頭疼身熱悪寒微渇自汗身腿酸軟無力如元気不足者升麻升之喘嗽加杏仁則依補中益気湯去升麻加生川芎細辛羌活防風名調栄養衛湯

麻黄六兩　桂枝二兩　甘艸二兩　杏仁四十箇
生薑三兩　大棗十二枚　石膏如雞子大
水九升先煮麻黄減二升去上沫内諸藥煮取
三升溫服取微似汗汗出多者溫粉撲之一服
汗者停後服汗多亡陽遂虛惡風煩躁不得眠
也○若脉微弱汗出惡風者不可服豊溪吳氏曰此症傷寒見風傷風見寒故二方併而用之風寒外盛則陽氣鬱爲内熱此石膏之所加也名曰大青龍其發表之尤者乎

仲景○桂枝麻黄各半湯　太陽病八九日如瘧狀熱
多寒少面有熱色身必痒者主之○許氏本事
方曰青龍一症尤難止用此治之盖慎之也○
陶氏曰青龍湯非風寒俱盛又加煩躁不可與

玉機曰治氣怯人潮熱兩感身体倦怠逍遙散合小柴胡湯加葛根人參柴胡散前方去芩

之今改羌活沖和湯尤穩也

兩感陽多羌活解沖和靈寶未分當

難知○大羌活湯　解利兩感神方　易水先生方

防風　羌活　獨活　防已

黃芩　黃連　白朮　甘草

蒼朮　細辛各三錢　知母　川芎

地黃各一兩

每服半兩水二盞煎至一盞半熱服

豊溪吳氏曰氣薄則發泄故羌獨防蒼芎辛之氣薄者以升發其傳經之邪寒勝熱故用芩連已地知母之苦寒者以培養其受傷之陰以升散諸藥而臣以寒涼則升者不峻以寒涼諸藥而君以升散則寒者不滯白朮甘草脾家藥也用之者所以益其脾胃而建中營之職爾○南豐李氏曰此方治陰陽已分陽症多者宜服

葛根湯 治項背強急發熱惡風或喘或身疼者

六書 ○冲和靈寶飲　治兩感頭疼惡寒發熱口舌燥

羌活　防風　生地　川芎

細辛　黄芩　柴胡　白芷

乾葛　石膏　甘草

薑棗煎臨服加薄荷十片煎一沸熱服○冬月去黄芩膏加麻黄○南豐李氏曰陶氏冲和湯爲陰陽未分者設

合病

太陽合病陽明者用葛根湯療二陽合病少陽成嘔利黄芩加半夏生薑

仲景 ○葛根湯　太陽與陽明合病者必自下利主之

葛根四兩　麻黄三兩　桂枝二兩　芍藥二兩

甘草二兩　生薑三兩　大棗十二枚

王氏柴胡湯
柴胡黄芩人参
當歸生地芍薬
麥門知母黄柏酸
棗仁
治夜睡盜汗
傷寒盜汗責表
按雜病責陰虚

反熱

水一斗先煮麻葛減二升去沫内諸藥煮取三升去滓溫服取微汗○太陽與陽明合病不下利但嘔者葛根加半夏湯主之

成氏曰輕可去實麻葛之屬是也此以中風表實故加二物于桂枝湯中也

○黄芩湯　太陽與少陽合病自下利者與之

黄芩三兩　甘艸二兩　芍藥二兩　大棗十二枚

水一斗煮取三升溫服若嘔者加半夏半升生薑三兩

成氏曰虚而不實者苦以堅之酸以收之芩芍之苦酸以堅斂腸胃之氣弱而不足者甘以補之甘棗之甘以補固腸胃之弱

少陰反熱麻黄附甘艸細辛二味詳發熱脉沉宜

四逆太陽反症有頭強

麻黄附子細辛湯若麻黄附子甘草湯症而不急迫者痰飲之変者即後方ノ症ニテ急迫ナク悪寒発熱痰ヽツヨク胸ノ中鳴尾ノアタリ寒リ身重ウトクト睡ナトスル者ニ用テ可

麻黄附子甘草湯治喘急息迫或自汗或不汗又悪寒又身微痛者

金匱要略曰水之為病其脉沉小属少陰浮者為風無水虚脹者為氣水発其汗則愈脉沉者

○麻黄附子細辛湯 少陰病始得之反發熱脉沉者主之

麻黄二兩 細辛二兩 附子一枚

水一斗先煮麻黄減二升去上沫内藥煮取三升温服

成氏曰内經云寒淫於内治以甘熱佐以苦辛以辛潤之麻黄之甘以解少陰之寒辛附之辛以温少陰之經○趙嗣真曰其發熱爲邪在表而當汗又兼脉沉屬陰而當温故以附子温經麻黄散寒而加細辛是汗劑之重者加甘草是汗劑之輕者也○豐溪吳氏曰有太陽之表熱故用麻黄以發汗有少陰之裏寒故用辛附以温中

○麻黄附子甘草湯 少陰病得之二三日此微發汗以二三日無裏症故微發汗也

麻黄二兩 甘草二兩 附子一枚

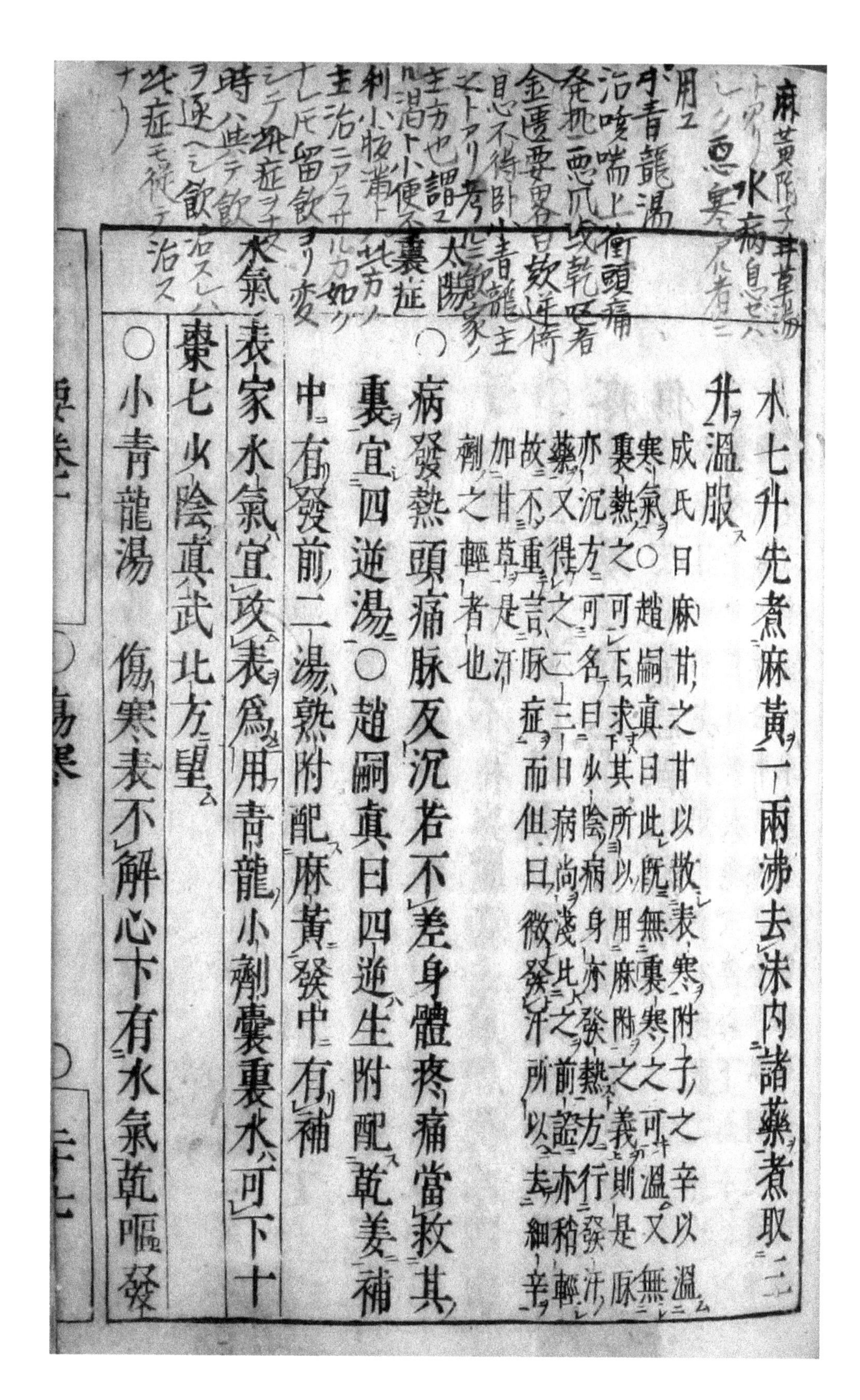

水七升先煮麻黄一兩沸去沫内諸藥煮取二
升温服
成氏曰麻黄之甘以散表寒附子之辛以温
寒氣○趙嗣真曰此既無裏寒之可温又無
裏熱之可下求其所以用麻附之義則是脉
亦沉方可名曰少陰病身亦發熱方行發汗
藥又得之二三日病尚淺比之前證亦稍輕
故不重言脉症而但曰微發汗所以去細辛
加甘草是汗
劑之輕者也
○病發熱頭痛脉反沉若不差身體疼痛當救其
裏宜四逆湯○趙嗣真曰四逆生附配乾姜補
中有發散前二湯熟附配麻黄發中有補
水氣表家水氣宜攻表爲用青龍小劑囊裏水可下十
棗七少陰真武北方望
○小青龍湯　傷寒表不解心下有水氣乾嘔發

熱而咳或渴或利或噎或小便不利少腹滿或喘者主之

麻黃三兩 芍藥三兩 半夏半升 乾薑三兩 甘草三兩 桂枝三兩 細辛三兩 五味子半升

水一斗先煮麻黃減二升去沫內諸藥煮取三升溫服○渴去半夏加栝蔞根三兩○噎去麻黃加附子一枚○小便不利少腹滿去麻黃加茯苓四兩○喘去麻黃加杏仁四兩○局方又治溢飲身體疼重及欬逆倚息不得安臥或因形寒飲冷內傷肺經咳嗽喘急嘔吐涎沫

成氏曰寒邪在表非甘辛不能散之麻桂甘草之辛甘以發散表邪水停心下而不行則腎氣燥內經云腎苦燥急食辛以潤之薑辛半夏之辛以行水氣而潤腎欬逆而喘則肺

十棗湯
治毒有胸腹而
攣痛者
胸ヨリ背三四ノ椎
ノアタリヘ引ツリイ
タミ咳ナド出ル痛

氣逆內經曰肺欲收急食酸以收之芍藥之酸以收逆氣而安肺○蓬溪李氏曰小青龍治表發散表邪使水氣自毛竅而出乃內經所謂開鬼門法也

○十棗湯　太陽中風下利嘔逆表解者乃可攻之其人漐漐汗出發作有時頭痛心下痞鞕滿引脇下痛乾嘔短氣汗出不惡寒者此表解裏未和也主之

芫花　甘遂　大戟　大棗十枚

各等分爲散以水一升半先煮棗取八合去滓內藥末強人服一錢匕羸人半錢溫服得利後糜粥自養

成氏曰辛以散之芫花之辛以散飲苦以泄之遂戟之苦以泄水水者腎所主也甘者脾之味也大棗之甘者益土而勝水○蓬溪吳氏曰三物皆峻利故用大棗以益土此戎衣

之後而發鉅橋之意也○蓬溪李氏曰十棗湯驅逐裏邪使水氣自大小便而泄乃內經所謂潔淨府去陳莝法也

○真武湯　少陰病四五日腹痛小便不利四肢沉重疼痛自下利者此爲有水氣其人或咳或小便利或下利或嘔者主之○太陽病發汗汗出不解仍發熱心下悸頭眩身瞤動振振欲擗地者主之

茯苓三兩　芍藥三兩　生薑三兩　白朮二兩　附子炮一枚

水八升煮取三升溫服○欬者加五味半升細辛乾薑各一兩○小便利者去茯苓○下利者去芍加乾薑二兩○嘔去附加生薑五兩

成氏曰脾惡濕甘先入脾苓术之甘以益脾逐水寒淫所勝平以辛熱濕淫所勝佐以酸平附芍生薑之酸辛以溫經散濕○又曰真武北方水神也水氣在心下外帶表而屬陽必應發散故治以真武湯青龍湯主太陽病真武湯主少陰病

瘀血

上焦瘀血宜輕劑犀角地黃主地黃中部桃仁承氣逐下焦抵當有丸湯

活人○犀角地黃湯　治傷寒應發汗而不發內有瘀血鼻衄吐血面黃大便黑此方主消瘀血

犀角　丹皮各一錢　芍藥二錢半　生地三錢

水煎溫服○有熱如狂加黃芩○李氏入門表熱加芷芩○衄加梔○內熱甚加黃連○龔氏醫鑒曰傷寒頭痛發熱口乾口鼻血出腹脹午後昏沉聲啞耳聾脇痛俗云血汗病也犀角地

黃湯合小柴胡湯血盛加茅根韭汁汗出如雨隨瘥○海藏王氏曰犀角地黃湯乃陽明經聖藥如無犀角以升麻代之二物性味相遠何以代之葢以升麻能引地黃及餘藥同入陽明也又曰衂唾嘔吐血在上也主之涼膈散加生地亦可○陶氏曰犀角地黃湯治上桃仁承氣湯治中抵當湯丸治下也

○陶氏六書加當歸桔梗甘草陳皮紅花生薑水煎臨服入藕汁三匙調服

仲景○桃仁承氣湯　太陽病不解熱結膀胱其人如狂血自下下者愈其外已解但少腹急結者乃可攻之宜之

桃核仁五十箇　桂二兩　大黃四兩　芒硝二兩

甘草二兩

水七升煮取二升半內硝微沸溫服○朱氏活人曰傷寒外症已解小腹急大便黑小便利其人如狂者有蓄血也主之○海藏王氏曰漱水不咽胸滿心下手不可近者主之

成氏曰甘以緩之辛以散之少腹急結緩以桃仁之甘下焦蓄血散以桂枝辛熱之氣寒以取之熱甚搏血故加二物於調胃承氣湯中也○豐溪吳氏曰桃仁潤物也能澤腸而滑血大黃行藥也能推陳而致新芒硝鹹物也能軟堅而潤燥甘草平劑也能調胃而和中桂枝辛物也能利血而行滯又曰血寒則止血熱則行桂枝之辛熱君以桃硝則入血而助下行之性矣斯其制方之意乎

仲景○抵當湯　太陽病六七日表症仍在脉微而沈

反不結胸其人發狂者以熱在下焦少腹當鞕滿小便自利者下血乃愈主之○太陽病身黃脉沉結小腹鞕滿小便不利者爲無血也小便自利其人如狂者血症諦也主之○病人無表裏症發熱七八日雖脉浮數者可下之假令下之脉數不解合熱則消穀善飢至六七日不大便者有瘀血宜之○陽明病喜忘屎雖鞕大便反易其色必黑有畜血宜下之

水蛭三十箇　虻虫三十箇　桃仁二十箇

大黃三兩

水五升煮取三升溫服不下再服

成氏曰苦走血鹹勝血虻蛭之鹹苦以除畜血甘緩結苦泄熱桃黃之苦以下結熱

○抵當丸　傷寒有熱少腹滿應小便不利今反利者有血也當下之不可餘藥宜之

水蛭二十箇　蝱虫二十五箇　桃仁二十箇　大黄三兩

右四味杵分爲四丸以水一升煑一丸取七合服之晬時當下血若不下者更服

海藏王氏曰抵當湯丸藥味同劑如何是二法蓋喜忘發狂身黃屎黑者疾之甚也但小腹滿硬小便利者輕也故有湯丸之別桃仁大黄等分蝱蛭多者作湯三之二者作丸丸之名取其數少而緩也

四逆

眞陰厥逆如陽症四逆湯方入白葱四逆散能治熱厥黄連解毒出倉公

○通脉四逆湯（仲景）　少陰病下利清穀裏寒外熱手足厥逆脉微欲絶身反不惡寒其人面赤色或

腹痛或乾嘔或咽痛或利止脉不出者主之○下利清穀裏寒外熱汗出而厥者主之○大汗出熱不去内拘急四肢疼又下利厥逆而惡寒者四逆湯主之○下利腹脹滿身體疼痛者先溫其裏乃攻其表溫裡四逆湯攻表桂枝湯○嘔而脉弱小便復利身有微熱見厥者難治四逆湯主之○少陰病膈上有寒飲乾嘔者不可吐也急溫之宜四逆湯○陽明病脉浮而遲表熱裡寒下利清穀者四逆湯主之

甘草三兩　附子生一枚　乾薑三兩

水三升煮一升二合溫服其脉即出者愈○面色赤者加葱白九莖○腹痛加芍○嘔加生薑

○咽痛加桔梗○利止脉不出加人參○局方曰傷寒自利不渴嘔噦不止或吐利俱發小便或澁或利或汗出過多脉微欲絶手足逆冷者凡傷寒有此症候皆由陽氣虚裏有寒雖更覺頭痛體疼發熱惡寒四支拘急表症悉具者未可攻表先宜服此藥助陽救裏

海藏王氏曰薑附加甘草爲脉沈細而遲弦薑附以治寒甘以緩之

○下之後復發汗晝日煩躁不得眠夜而安靜不嘔不渴無表症脉沈微身無大熱者乾薑一兩附子一枚湯主之

○發汗若下之病仍不解煩躁者茯苓四逆湯主之

茯苓六兩人參一兩甘艸二兩乾薑一兩半
附子一枚生用

仲景○四逆散 少陰病 四逆其人或欬或悸或小便不利或腹中痛或泄利下重者主之
甘艸　枳實　柴胡　芍藥
各十分擣篩白飲和服方寸匕日三服○欬加五味子乾薑○悸加桂枝○小便不利加茯苓○腹中痛加炮附○泄利下重加薤白

成氏曰內經曰熱淫於內佐以甘苦以酸收之以苦發之枳草之甘苦以泄裡熱芍藥之酸以收陰氣柴胡之苦以發表熱○氣逆則欬五味之酸收逆氣乾薑之辛散肺寒○悸猶圭引導陽氣○茯苓味甘而淡用以滲泄○裏虛遇邪則痛加附子以補虛○泄利下重者下焦氣滯也加薤白以泄氣滯○陶氏曰邪傳少陰則手足逆冷乃傳經之邪輕則

山梔子湯　治傷寒壯熱百節煩痛發斑爛

山梔　升麻　黃芩　芍藥　柴胡 各一錢　石膏 一錢二分　知母 半錢　杏仁 七分半　甘草 各五分　姜

陽毒

四逆散 重則 承氣湯下之

活人○黃連解毒湯　治傷寒大熱乾嘔呻吟錯語不得眠者

黃連　黃芩　黃蘗 各半兩　山梔 二兩

羅田萬氏保命歌括曰此方太倉公之火劑湯也○火甚者必炒過或以酒炒

三黃陽毒狂斑爛巨勝一石膏表裏通

六書○三黃巨勝湯　治陽毒發斑狂亂妄言大渴叫喊目赤脈數大便燥實上氣喘急舌卷囊縮難治姑以此湯刼之

黃芩　黃連　黃蘗　山梔　石膏

芒硝　大黃

薑棗水煎臨熟入泥漿水二匙調服

琳言○三黃石膏湯　治瘟疫發狂大便泄者

黃芩　黃連　黃蘗各一錢半　山梔五枚

石膏三錢　麻黃一錢　豆豉半合

水煎溫服○埜氏曰此方乃與前方相反前方

宜裡熱便閉者此方宜表裡俱有熱而便泄者

用者宜詳之

陰寒

陰盛格陽宜返本藏陽虛火益元充

六書○回陽返本湯　治陰盛格陽陰極發躁微渴面

赤欲坐井池脉無力欲絕

附子　乾薑　甘艸　麥門冬

人參　五味子　陳皮　苓

如狂

○益元湯　治無頭疼有身熱躁悶面赤飲水不得入口乃氣弱無根虛火泛上名曰戴陽症

甘艸二錢　附子　乾薑　人參各一錢

五味子二十粒　麥冬　黃連

知母各七分　艾三分　葱白九莖

薑棗煎臨熱入童便三匙冷服

如狂挾血當歸活沉重昏迷似祟蒙精采不當無熱躁桂苓飲子最精工

六書○當歸活血湯　治無頭疼無惡寒但身熱發渴溺利便黑口出無倫不可誤爲熱症乃瘀血內傳心脘一經使人昏迷沉重如見祟症名挾血

當歸　赤芍　甘艸　紅花

桂心　乾薑　枳殼　生地

人參　柴胡　桃仁

生薑一片水煎入酒三匙調服服三貼後去桃

紅薑加朮苓

○桂苓飲　治初得病無熱狂言煩躁不安精采

不與人相當誤爲發狂下者多殊不知熱結膀

胱名曰如狂症血自下者愈不愈者宜此

茯苓　桂　猪苓　白朮

澤瀉　黃蘗　知母　山梔

滑石　生薑

水煎服

神香越經導赤涼心火散火升陽治撮空

○導赤各半湯　治傷寒後心下不硬腹中不滿二便如常身無寒熱漸變神昏不語或睡中獨語目赤脣焦舌乾不飲水稀粥與之則嚥不與則不思形如醉人乃熱傳手少陰心也心火上逼肺所以神昏名越經症

黄芩　黄連　山梔　甘艸

知母　犀角　麥冬　硝石

茯神　人參

薑棗煎加燈心一握煎沸熱服

○升陽散火湯　治撮空症乃肝熱乘肺元氣虛弱不能主持以致譫語神昏不省人事溺利者可治不利者死

人參　當歸　茈胡　芍藥
黃芩　甘艸　白朮　麥冬
陳皮　茯神
薑棗水煎服○有痰加半夏薑汁○大便燥結
譫語發渴加大黃○泄瀉加升麻炒白朮

亡陽

再造宜亡陽不汗

○再造飲　治亡陽不能作汗誤用重湯火劫取
汗者
人參　黃芪　桂枝　甘艸
附子　細辛　羌活　防風
川芎　煨姜
棗二枚水煎再加炒芍一撮煎沸溫服

飲子 治傷寒病後餘熱不退或日晡潮熱不差 竹芎 柴防苓 滑姜 竹茹

蚘厥 安蚘療胃冷蚘攻

○安蚘理中湯 治蚘厥

即理中湯加 茯苓 烏梅 花椒

大便閉加大黃○渴加栝蔞根

壞症 參胡芍藥尤良劑壞症傷寒起欬躬奪命獨參元

氣返鼻梁有汗是其功

入門 ○參胡芍藥湯 治傷寒十四日外餘熱未除脉

息未緩大便不快小便黄赤或渴或煩不能安

眠不思飲食此邪氣未淨正氣未復當量虛實

以調之

人參 芘胡 芍藥 黄芩

知母 麥冬各一錢 生地一錢半 枳殼八分

甘草三分

薑三片水煎溫服○胸滿腹脹便硬去參加厚朴枳梳○小便頻數加茯苓澤瀉○嘔加竹茹○血弱加當歸○虛煩加竹葉粳米○二便自利胸腹不飽形羸脉弱去梳倍參○不眠加酸棗茯神○宿屎未淨腹滿或痛便硬量加大黃

本草○奪命散又名復脉湯出百乙選方 凡傷寒時疫不問陰陽誤服藥餌因重垂欬脉沉伏不省人事者

人參一兩

水煎服少頃鼻梁有汗出脉復立瘥

食復 新瘥復熱多因食枳實豉梔大黃剤

仲景○枳實梔子豉湯 大病差後勞復者主之○若

有宿食者加大黃
枳實三枚　梔子十四枚　豉一升
以清漿水七升空煮取四升內枳梔煮取二升
下豉五六沸溫服微汗○李氏入門曰內熱加
芩○腹脹加朴○傷肉加楂○傷麪飯加神麯
豐溪吳氏曰枳黃能奪胃中之食梔豉能祛胸中之熱

勞復

勞復石膏煎竹葉湯益氣養神臨
仲景○竹葉石膏湯　傷寒解後虛羸少氣氣逆欲吐
者主之
竹葉二把　石膏一斤　半夏半升　人參三兩
甘草二兩　粳米半升　麥門冬一升
水一斗煮取六升去滓內粳米煮米熟

服

成氏曰辛甘發散而除熱石膏之甘辛以發散餘熱甘緩脾而益氣麥參粳米之甘以補不足辛者散也氣逆者欲其散半夏之辛以散逆氣○薑溪吳氏曰竹石門冬之寒清餘熱參草之甘補不足用粳者恐石膏過寒損胃用之以和中氣也○埜氏曰案勞而復者脾胃已虛恐非石膏大寒之所堪則從輕逾滑石尤良然胃虛而煩熱燥亾津液非常例守禁之限乎○又案衲後更熱宜小柴有胃寒宜理中丸胃熱宜此方皆各見本方下

回春○益氣養神湯　治勞復發熱

人參　當歸　芍藥炒　知母

麥冬　炒梔各一錢　陳皮五分　甘艸

升麻各三分　茯神各七分

棗一枚水煎溫服○埜氏曰表熱加芷葛去知

不眠加竹茹酸棗炒○心下痞滿加黃連

易病

枳實

陰陽易病當歸朮鼠屎燒裩可索尋若但女勞成

復熱逍遙散劑入人參

活人○當歸白朮湯　治男婦病未平復因犯房事則

小腹急痛連腰胯四支不能擧任身無熱者

當歸　附子各二錢　生薑一錢　白朮

桂枝　甘艸　人參　黃芪

芍藥各五分

水煎溫服○埜氏曰加燒裩鼠屎爲良○龔氏

濟世曰燒裩散不應用參附湯良

入門○人參逍遙散　治女勞復虛弱者埜氏曰此方

即逍遙散加人參　宜有熱者

心煩口乾加味冬ヲ○陰虛火動、加知、蘗、竹瀝、

和解湯　是桂支湯之変方也虚人之感冒初発宜用之表気薄者加減而四時可通用労役感冒亦宜也

参軽証去之発汗沙参代之或以桂折各一銭餘鎮七分守銖五分苓完七分乾完千五分耳炒

蒼唐嫌香者和七分　右姜棗、水煎　初感咳嗽加麻杏貝母倍乾桂泄瀉食味不変加附倍蒼苓乾泄瀉数加沢肉蔲砂仁頭痛甚加麻芷老人痩実者頭痛加水芎肥人只加麻常用発表去参苓　此方用労役夾陰等証無妨也又風邪後咳嗽不為労咳鍼風寒、初発可用之良剤也

中寒

太陰

太陰寒中中脘痛爲用理中小建中

正傳○理中湯　治卽病太陰自利不渴寒多而嘔腹痛下利鴨糖蚘厥霍亂等症　長沙先生方

人參　甘艸　乾薑　白朮

水二盞煎八分溫服○如腹滿下利脉沉遲而微者加炮附子二錢○李氏入門曰內虛腹痛合小建中湯○陶氏加桂苓陳皮薑棗水煎臨服入炒陳壁土一匙以助胃氣治同

成氏曰脾欲緩急食甘以緩之用甘補之參朮甘草之甘以緩脾氣調中寒淫所勝平以辛熱乾薑之辛以溫胃散寒○鶴溪陳氏曰太陰屬脾中州土也性惡寒溼非乾薑白朮

仲景○附子湯（不能溫燥）少陰病得之一二日口中和其背惡寒者當灸之主之○少陰病身體痛手足寒骨節痛脉沉者主之

附子二枚 茯苓三兩 人參二兩 白朮四兩

芍藥三兩

水八升煮取三升溫服

成氏曰辛以散之附子之辛以散寒甘以緩之參苓白朮之甘以補陽酸以收之芍藥之酸以扶陰所以然者偏陰偏陽則爲病火欲實水當平之不欲偏勝也

綱目○小建中湯 治傷寒腹痛惡寒手足踡而溫 長沙先生方

桂枝一錢半 甘草一錢 芍藥三錢 生薑一錢半

大棗一枚　飴八錢

水煎去滓下飴再煎服○去飴加芪名黃芪建中湯　治傷寒汗後身疼脉遲弱者○傷寒論曰傷寒二三日心中悸而煩者主之○傷寒陽脉澁陰脉弦腹中急痛先與之不差與小柴胡○嘔家不可用之○活人曰傷寒尺脉遲者加芪

成氏曰建中者建脾也內經云脾欲緩急食甘以緩之飴棗甘草之甘以緩中也辛潤也散也榮衛不足潤而散之也桂薑之辛以行榮衛酸收也泄也正氣虛弱收而行之芍藥之酸以收正氣○東垣先生曰芍藥之酸於土中瀉木爲君飴草甘溫補脾養胃爲臣水挾木勢亦來侮土故脉弦而腹痛肉桂大辛熱佐芍藥以退寒水薑棗甘辛溫發散陽氣行於經絡皮毛爲使建中之名於此見焉

少陰

臍痛少陰宜四逆回陽救急湯陶公

仲景○四逆湯　少陰病脉沉者急溫之宜之○既吐且利小便復利而大汗出下利清穀內寒外熱脉微欲絕者主之○自利不渴者屬太陰藏有寒當溫之宜之

甘草二兩　乾薑一兩半　附子一枚

水三升煮一升二合溫服○少陰病下利脉微者白通湯主之○惡寒脉微四逆加人參湯主之○埜氏曰寒甚無脉加好酒薑汁尤良先用葱熨法隨用之

成氏曰內經云寒淫於內治以甘熱又云寒淫所勝平以辛熱甘草薑附相合爲甘辛大熱之劑乃可發散陰陽之氣

六書○回陽救急湯　治傷寒初起無頭痛無身熱便

就怕寒四肢厥冷或過於肘膝或腹痛吐瀉或口吐白沫或流冷涎或戰慄面如刀刮引衣踡臥不渴脉沉遲無力即是寒中陰經真寒症不從陽經傳來

附子　乾薑　甘草　人参
桂　半夏　五味子　茯苓
白朮　陳皮

薑棗水煎服○無脉加猪胆汁○嘔吐不已加薑汁○泄瀉不已加升麻黄芪○嘔吐涎沫或有小腹痛加吴茰

厥陰

當歸四逆茱茰剤可療厥陰必腹痛

仲景○吴茱茰湯　厥陰乾嘔吐涎沫頭痛者主之○

少陰病吐利手足厥冷煩躁欲死者主之

茱萸一升 人參三兩 生薑六兩 大棗十二枚

水七升煮取三升溫服○李氏入門曰如陰逆厥冷脣青面黑舌卷卵縮加細辛附子

成氏曰内經云寒淫於内治以甘熱佐以苦辛茱萸薑之辛以溫胃參棗之甘以緩脾

○當歸四逆湯 厥陰病手足厥寒脉細欲絶者主之

當歸 桂枝 芍藥各三兩 細辛

甘草 木通各二兩 棗二十五箇

水八升煮三升去滓溫服○若其人内有久寒者當歸四逆加吳茱萸湯主之

成氏曰内經云脉者血之府也諸血者皆屬於心通脉者必先補心益血苦先入心當歸之

医宗入門熟料五積散除白芷肉桂外餘一十三果用熳火炒令色変攤冷入芷和匀云按入門除白芷恐火炒壞其香氣而枳殼喜火炒熟緩其性意謂和剤之誤欲又以云除二果外既云除二一十三果同爲粗則當有茯苓也

治內傷

飲食內傷寒外感堪求五積熟生功

苦以助心血心苦緩急食酸以收之芍藥之酸以收心氣肝苦急急食甘以緩之棗草通草之甘以緩陰血〇薑溪吳氏曰此陽氣外虛故用桂細以溫其表陰血內弱故用當歸芍藥以調其裏通草通其陰陽棗草和其榮衛也

局方〇五積散　即熟料五積散

治外感風寒內傷生冷心腹痞悶頭目昏痛肩背拘急肢體怠惰寒熱往來飲食不進調中順氣除風冷化痰飲及婦人血氣不調心腹撮痛經候不勻或閉不通等症

蒼朮廿四兩　桔梗十二兩　陳皮　枳殼

麻黃　芍藥　川芎　當歸　各六兩

甘艸　茯苓　半夏　桂

入門曰積寒積食積氣積血積痰五者又積可散也

白芷各三兩 厚朴 炮薑各四兩

右除桂梳外一十三味同炒黃色攤冷入桂梳令勻每三錢水一盞半生薑三片煎一盞熱服○傷寒發熱入葱三寸豉七粒○惡寒厥冷入吳茱萸七粒塩少許○婦人產難入醋煎○活人曰寒中陰經胸膈不快脣青手足冷腹痛脉沉細者尤妙○陶氏曰此方通解表裏之寒尤妙楚氏曰此爲除寒溼之主劑故方中有平胃二陳之味皆爲溼也麻黃湯溫散寒氣也寒凝血故用四物之三品且夫寒邪著三陰故四物爲引入陰經

大全○生料五積散 治感寒頭身痛惡寒嘔吐或感寒溼腰脚痠痛

即前方去乾薑外餘薑葱水煎服

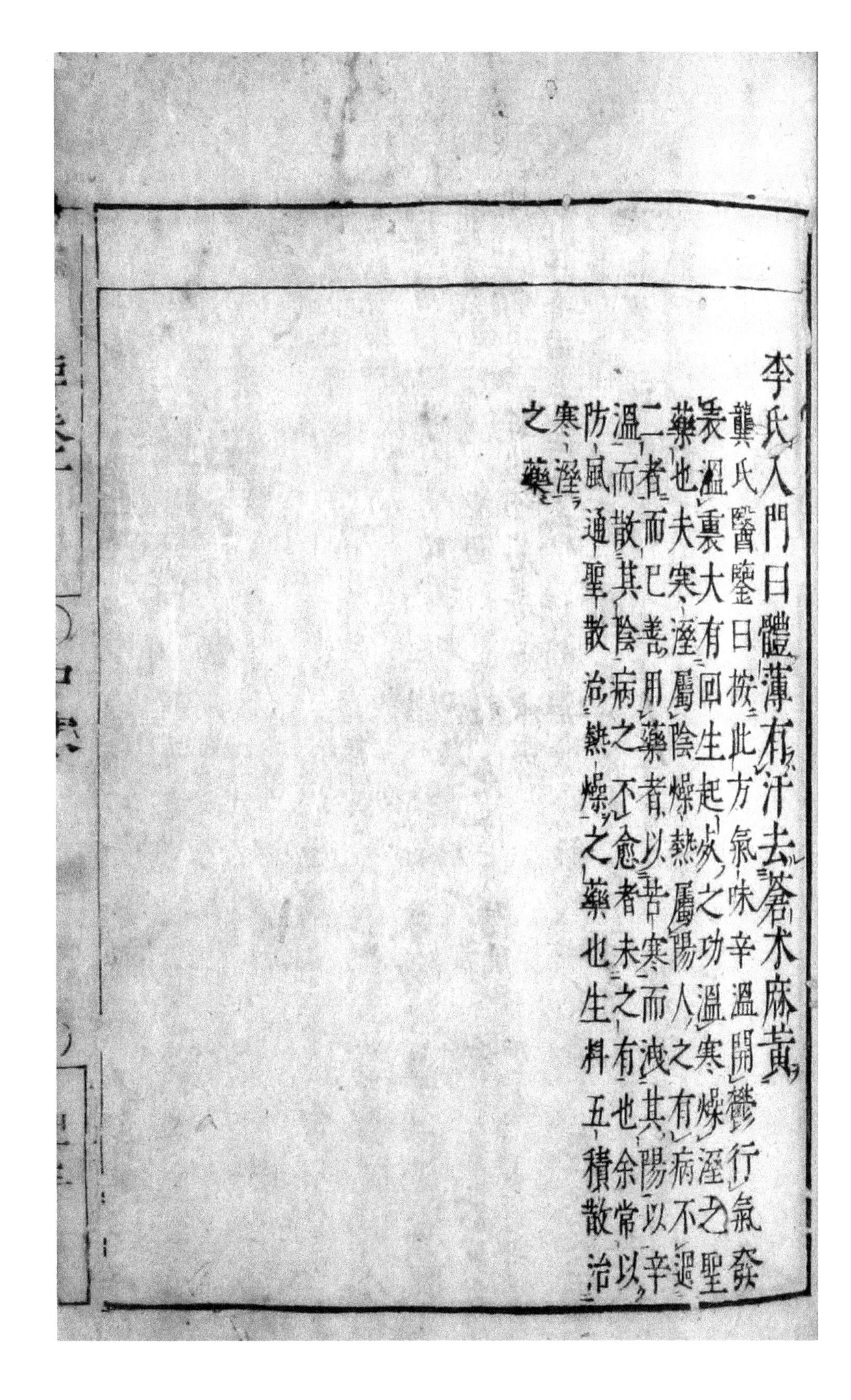

李氏入門曰體薄有汗去蒼朮麻黄

龔氏醫鑒曰按此方氣味辛温開鬱行氣發表温裏大有回生起死之功温寒燥溼之聖藥也夫寒溼屬陰燥熱屬陽人之有病不過二者而已善用藥者以苦寒而泄其陽以辛温而散其陰病之不愈者未之有也余常以防風通聖散治熱燥之藥也生料五積散治寒溼之藥

疫瘴初病一二日發汗方　羌活乾葛七紫蘇各八錢蒼术二錢防風
香附各八分白芷川芎各五分陳皮甘草各三生姜三片水煎熱服不可
大汗此方不論虛實俱用此發汗後則易愈
發汗後清解方　前胡芍藥各六連翹桔梗各六黃芩乾葛
各一錢柴胡八分枳殼七分升麻半夏各五甘草少虛弱者加人參六分去
連翹口渴煩燥者去半夏加麥門冬花粉知母黃連各八分小便
不利者加赤茯苓茵陳豬苓澤瀉木通各八分車前子五分大便瀉
者亦同加此六味大便秘者加酒炒大黃三錢微利之　右□
疫癘解表湯　桔梗錢升麻錢分梔子一錢防風柴胡各二分錢黃連牛房子
各一錢蘇葉八分甘草五分右姜葱水煎
郭子升麻牛房子散　治時毒瘡疹脉浮洪有表者瘡發於頭面
腦項之間　連翹三錢升麻牛房子甘草桔梗葛根玄參麻黃各
冲和湯　治時毒脉浮在半表半裏者　菖蒲午房子川芎羌
活防風漏蘆荊芥麥門前胡甘草各六分

春夏初時山谷蒸気冒弱者感之面腫発寒熱先用升冒散加羌活防风荊芥吉更不微散之後加酒芩連以降火

消风散　治风热瘾疹瘙痒　荊芥防风甘草陳皮厚朴蝉退人参茯苓川芎羌活姜蚕

温疫

疫癘時氣

葛根敗毒治温疫消毒石膏極熱狂

局方○升麻葛根湯　治時氣瘟疫頭痛發熱肢體煩疼及瘡疹已發及未發疑似之間並宜服之

升麻　葛根　芍藥　甘艸各一兩

每服三錢水一盞半煎一盞稍熱服○李氏綱目曰此乃發散陽明風寒藥也用治陽氣鬱遏及元氣下陷諸病時行赤眼每有殊功○丹溪先生曰凡瘟疫已見紅點不可用此恐表虛反增瘢爛也　埜氏曰升麻葛根解表裏熱芍藥和榮甘草和衛

三因○敗毒散

各末以荊芥湯下茶酒亦可
犀角消毒飲治発斑癮疹丹毒盛者
犀角牛房子荊芥防風甘草
解毒防風湯治発疹及癮疹痒痛者
防風一钱半地骨皮黄芪芍薬荊芥枳壳牛房子各七分半

治傷寒瘟疫風溼風眩頭痛增寒壯熱初虞世寃其方知出道藏乃敘云自非異人傑出志與神會則莫敢爲良可歎服煙瘴之地或瘟疫時行或人多風多痰多氣或處卑溼脚弱此藥不可缺也○龔氏醫鑒曰治四時瘟疫鄉村相類加葛根

雜著○清暑消毒飲　瘟暑之月民病天行瘟疫熱病治宜清熱解毒兼治內外

酒芩　酒知母　升麻　乾葛各一錢

石膏　白芍炒　人參各一錢半　黃連酒炒

生地黃各五分　生甘草七分

羌活二錢　生薑三片

水一盞半煎七分食前熱服○胸膈痞悶痰涎壅塞加枳實半夏各一錢○脾胃不實加白朮一錢半○薛氏曰按前症若邪在足陽明表裏不解者宜用本方和解之若踈通過度胃氣虧損而發熱煩渴者用竹葉黄芪湯以生津液若悞汗亡陽而發熱煩渴者用升陽益胃湯若悞下亡陰而發熱煩燥者用理中湯

方考○三黄石膏湯

瘟毒表裏俱盛五心煩熱兩目如火鼻乾面赤太渴舌燥者主之

寒疫　應夢人參寒疫劑陽氣抑遏大青龍叶蒼光切

三因○應夢人參散　治傷寒體熱頭疼及風壅痰嗽

咯血

白芷　乾葛　青皮　桔梗

白朮　人參各七錢半　甘草一兩半　乾薑一錢三字炮

爲末每二錢水一盞薑三片棗二枚煎七分通

口服

方考○大青龍加黃芩湯

春分以後至秋分節前天有暴寒抑遏陽氣不得泄因頭疼身熱無汗惡風煩躁者爲時行寒疫主之表有風寒故見大陽症裏有濕熱故見煩躁麻黃桂枝甘草杏仁薑棗辛甘物也辛以解風寒甘以調營衛石膏黃芩寒苦物也寒以清溫熱苦以治煩躁

冬溫

冬溫卽病升麻葛鬱毒春時敗毒當

方考○升麻葛根湯

冬月應寒而反太溫民受其溫癘之氣名曰冬溫無汗發熱口渴者主之升葛辛涼而發散者也故解冬溫芍藥味酸能養陰而退熱甘草味甘能調榮而益衛

醫鑑○敗毒散　冬應寒而反煖者春發瘟疫主之

春清

春清葛根宜即病夏時鬱發太柴良

六書○升麻葛根湯

春應煖而清氣折之則實邪在肝主之

醫鑑○大柴胡湯　春應溫而反清者夏發燥疫主之

夏寒

夏寒五積治秋發即病用藿附二香

入門○二香散　治四時感冒冷濕寒暑嘔惡泄利腹痛瘴氣飲冷當風頭疼身熱傷食不化

紫蘇　陳皮　蒼朮　厚朴

扁豆　甘艸各五分　香附一錢半　香薷一錢
生薑　木瓜各二片　葱二莖　水煎服
醫鑑〇五積散　夏應熱而反寒者秋發寒鬱主之

秋溫

白虎加蒼秋即病至冬鬱發五苓行
活人〇白虎加蒼朮湯
秋應凉而太熱折之則實邪在肺主之
醫鑑〇五苓散　秋應凉而反淫雨者冬發濕疫主之

風溫

風溫萎蕤治寒熱白朮防風汗後當
活人〇萎蕤湯　治風溫兼治冬溫及春月中風傷寒
發熱頭眩痛喉咽乾舌強胸內痛痞腰背強
萎蕤二錢半　石膏三錢　葛根二錢　羌活
白薇　杏仁　木香　川芎

甘草各一錢　麻黃一錢二分

水煎溫服○李氏入門曰汗後身猶熱加黃芩知母赤芍○汗多去麻加桂枝防風○氣弱加人參○有痰加南星○渴甚加天花粉○肝火熱加草龍膽

豊溪吳氏曰寒毒藏於肌膚至於春反爲溫病溫熱未除更遇於風病爲風溫表有邪故寒熱裏有邪故口渴風之傷人也頭先受之故頭疼風盛則氣壅故面腫風溫壅盛甘能發之故用萎蕤甘草辛能散之故用羌麻清能平之故用芎藭寒能勝之故用石薇佐以杏仁取其利氣而木香者清熱下氣之物也

埜氏曰傷寒論曰發汗已身灼熱者此爲風溫不可發汗故海藏王氏改萎蕤湯而用白朮防風用者宜詳之

溼溫

重感溼溫兩脛冷乃投白虎加蒼方

活人○白虎加蒼朮湯　溼溫憎寒壯熱口渴身痛脉沉細者主之○孫尚藥曰溼溫症用五苓散大利小便則腹減白虎解利邪熱則病愈

暴溫

暴溫寒伏調中用表裏實邪入太黃

活人○調中湯　治夏秋暴寒疫癘折於盛熱熱結於四支則壯熱頭疼及肚腹不和等症

葛根　黄芩　芍藥　蒼朮

藁本　桔梗　茯苓　甘艸

大黃

水煎溫服○李氏入門曰肌熱煩渴加麥門冬○若毒邪盛或便閉脉數者加太黃

李氏曰案夏月宜行熱令而反有暴寒折之則熱氣伏於內外與寒戰而成病故用寒涼所伏熱則內外通利而病愈此蓋朱氏立調中湯之本指也而今世之醫以為用二香散散外寒則陽氣不伏而病愈故於調中湯云治非時暴溫寒伏此用朱氏之方而不用朱氏之意也

溫病

春月病溫宜敗毒黃芩加入乃清涼

方考　敗毒加黃芩散　壯熱不惡風寒而渴者溫病也主之

經曰治溫以清又曰開之發之適事為故羌獨此前川芎皆輕清開發之劑也故用之以解壯熱用芩殻桔梗者取其清膈而利氣也用參苓甘草者實其中氣使溫毒不能深入也培其正氣敗其邪毒故曰敗毒

瘴

中嵐瘴氣君神朮羌活升麻可酌量

正傳　太無神朮散　治四時瘟疫頭痛項強憎寒壯熱身痛專主山嵐瘴氣之妙劑也

陳皮二錢 蒼术 厚朴錢各一 甘艸

石菖錢各一半 藿香

薑三片 棗一枚 水一盞半 煎一盞 溫服

葺溪吳氏曰山嵐瘴氣謂山谷間障霧溼土敦阜之氣也溼氣蒸騰由鼻而入呼吸傳受邪正分爭陰勝則憎寒陽勝則壯熱流於百節則一身盡痛是方也用蒼术之燥以尅制其障霧之邪用厚朴之苦以平其敦阜之氣菖藿辛香物也能匡正而辟邪甘草陳皮調脘物也能補中而泄氣內經云谷氣通於脾故山谷之氣感則壞人脾太無此方但用理脾之劑而解瘴毒之妙自在其中使非深得經之旨不能主此方也其高識若此誠不愧為丹溪之師矣

雜著○升麻蒼术湯 春秋時月人感山嵐瘴霧毒氣發寒熱胸膈飽悶不思飲食此毒從鼻口入內也治當清上焦解內毒行氣降痰不宜發汗

黄連　黄芩　厚朴　枳實
半夏　桔梗　柴胡　川芎
木通各一錢　升麻一錢半　蒼术一錢半　生甘草七分
木香一錢
生薑五片水一盞半煎七分熱服

雜著

○羌活蒼术湯　寒溫不節汗身脱衣感冒風寒
發熱頭疼此傷寒類也但嶺南氣溫易出汗故
多類瘧重則寒熱不退輕則爲瘧南方氣升故
胸滿痰壅飲食不進與北方傷寒只傷表而裏
自和者不同治當解表清熱降氣行痰此方用
於寒凉時月及雖在溫暖時而感冒風寒者
羌活一錢半　蒼术　柴胡　黄芩

橘紅　半夏　枳實　甘草

川芎

薑五片水盞半煎七分食前溫服

氣衍

正氣愈行正氣散沖和九味病身康

局方○不換金正氣散　治時氣瘴疫頭疼壯熱腰背拘急咳嗽痰涎喘乏或霍亂吐瀉下痢赤白等症若四方之人不伏水土宜服之

厚朴　藿香　陳皮　半夏

蒼朮　甘草各等分

每三錢水一盞半薑三片棗二枚煎八分食前稍熱服○龔氏壽世日有溼加朮茯苓○頭痛加芎芷○潮熱加茈芩○口燥加茈葛○咳嗽加[illegible]

杏仁　桔梗○腹痛感寒加乾薑肉桂

南豐李氏曰感時行瘴氣但覺腹滿吐利惡寒等症卻未發熱者宜此先正胃氣以預防之如更加頭痛發熱胃滿者藿香正氣散豐溪吳氏曰平胃散以平遜土敦阜之氣而消嵐瘴乃半夏之燥所以醒脾藿香之芬所以開胃故曰正氣謂其能正不正之氣

○九味羌活湯　四時不正之氣憎寒壯熱頭疼身痛口渴人人相似者此方主之

醫統○荊防敗毒散　治天行時疫發散瘟邪　傷寒蘊要方

荊芥　防風　羌活　獨活

前胡　枳殼　人參　茯苓

薄荷　甘草　川芎　桔梗

各等分水煎服內熱加黃連渴加天花粉

卷之一

…八口噤
竹瀝姜汁　木分
日々飲之
金瘡中风
口噤欲死　竹瀝
半外微々煖服
瘡刹…

类中風八症　火虛湿寒々暑気々食悪
火中　凉膈散　小柴胡湯　六味地黄丸　貝母瓜蔞散　治
痰々多口眼喎斜手足麻木　貝母瓜蔞南星荊芥黄柏防
風羌活黄芩黄連陳皮白朮半夏薄荷甘草威灵仙天
花粉各五生姜三片　虛中　六君子湯　六味地黄丸　補
中益気湯　湿中脈沉涩或沉而細　清燥湯　治
気虛湿熱々肺金受邪絶寒水生化之源小便赤少大便不
実腰膝痿軟口乾作渇体重麻木頭目眩暈飲食少思
自汗盗汗倦怠気促　黄芪半銭　五味子九粒　黄連神曲
猪苓柴胡甘草各二　蒼朮麦門生地沢瀉各五　茯苓人参當
皈升麻各三　黄柏一分　滲湿湯　治食生冷水湿之物或
厚味醇酒停三焦湿從内中　蒼朮茯苓各一分半陳皮沢瀉
猪苓各一白朮一錢香附撫芎砂仁厚朴各七分甘草少許姜三片燈心十根
寒中　身体強直口噤不語四肢戦掉卒然昏倒身無汗
者　姜附湯　附子麻黄湯　治中寒々昏冒口眼喎斜
麻黄白朮人参甘草炮附子乾姜各等分

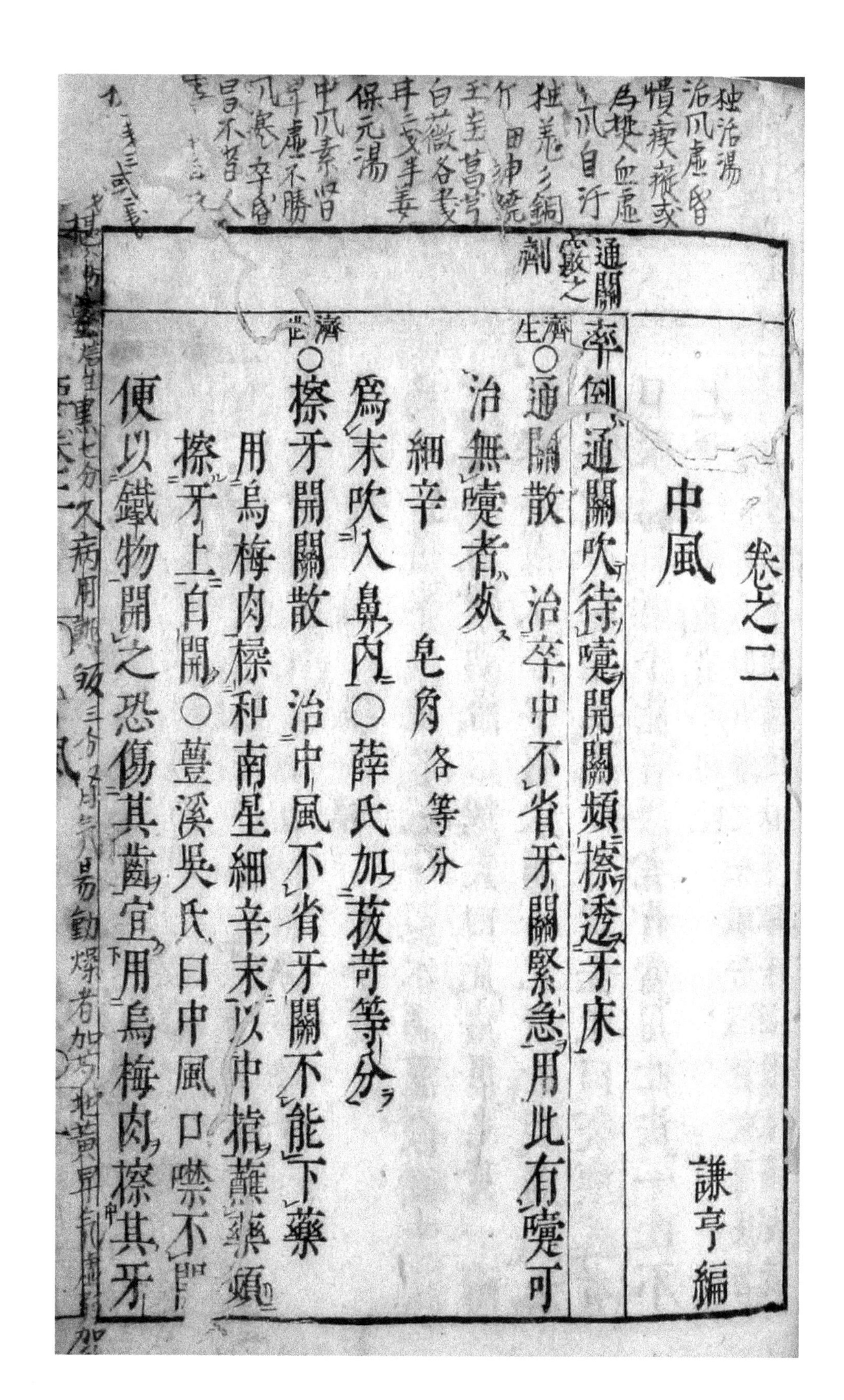

卷之二

中風　謙亭編

通關竅之劑

卒倒通關吹待嚔開關頻擦透牙床

濟生○通關散　治卒中不省牙關緊急用此有嚔可治無嚔者死

細辛　皂角各等分

爲末吹入鼻內○薛氏加薄荷等分

濟世○擦牙開關散　治中風不省牙關不能下藥

用烏梅肉揉和南星細辛末以中指蘸藥頻擦牙上自開○蔓溪吳氏曰中風口噤不開便以鐵物開之恐傷其齒宜用烏梅肉擦其牙

關牙關酸軟則易開矣此酸先入筋之故也

吐痰之劑

稀涎瞑眩風痰湧和劑碧霞熱吐方

本○急救稀涎散　治卒中昏倒形體不收風涎潮于上胸痺氣不通　孫用和家傳秘寶方

皂莢四挺　白礬一兩　加半夏

爲末每用半錢重者三字溫水調灌微微吐涎待惺乃用藥調治○寇氏曰此法用皂莢一兩生礬半兩膩粉半兩水調一二錢過咽則吐涎用礬者分膈下涎也○丹溪先生曰痰壅盛者口眼喎斜者不能言語者皆當用吐法一吐不已再吐而虛者不可吐

豐溪吳氏曰白礬之味鹹苦鹹能軟頑痰苦能吐涎沫皂角之味辛醎辛能利氣竅醎能

木香順氣散
治氣運倒
蜜縮五分
蓽菝青皮
黃烈殻各
一錢圭乾耳
三分薑氣
不轉口藤子
沉香
加果二陳湯
治痰一運倒
手足一八冷
麻痺眩暈
脉沉細
本方加斤
洞圖各一錢
分餅蜜
絡蜜主
合

去汚垢名之曰稀涎固本門之兵也師曰凡
此中風之痰使咽喉疏通能進湯液便止若
攻盡其痰則無液以養筋能
令人攣急偏枯此大戒也
婁氏曰案醫林集要無礬石而有半夏醫學
入門合有三味故加之

婁氏 ○瞑眩散　吐風痰　丹溪先生方也
藜蘆一錢　麝香少許
爲末虀汁調下若吐過多者煎葱湯解之

局方 ○碧霞丹　治卒中痰壅牙緊及五癇涎潮搐搦
石綠水飛十兩　附子尖　川烏尖
蝎稍各七十箇
爲末麪糊丸雞頭大每服用薄荷汁半盞化下
一丸更以酒半合溫服須臾吐出痰涎然後隨證
症治如牙關緊急灌之○婁氏曰凡吐痰用寒

犀角散
治肝中風流注四肢上攻頭面疼痛言語蹇澁上焦風熱口眼喎斜脚膝軟痛
犀角各五 羌活各七錢 人參 芎 菊花 粗茵 芎 伽苓 枳壳 斤 防風 羌活 白芷 各七錢 姜 五斤

導痰之劑

劑累累吐不透者必用熱劑吐之方透

六味導痰加減用三生飲也省風湯

良方○導痰湯 治痰涎壅盛胸膈痞塞咳嗽惡心

半夏二錢 南星 枳實 茯苓

陳皮各一錢 甘草五分

薑十片水煎服○李氏入門加木香香附名順氣導痰湯○加芩連名清熱導痰湯○加羌活防風名祛風導痰湯○加遠志菖蒲名寧心導痰湯○龔氏壽世曰面赤身熱手足溫暖脈緊盛宜清熱導痰湯

易簡○三生飲 治卒中不知口眼喎斜半身不遂咽喉作聲痰氣上壅六脉沉伏兼治痰厥氣厥眩

牛黄散
治心藏中
风光忽恐
懼悶乱不
得眠以語
言錯乱

遅

南星生一兩　川烏生　附子生各半兩　木香二錢半

薑十片水煎温服○薛氏曰上症此真氣虛而風邪所乘以本方一兩加人參一兩煎服即甦若遺尿手撒口開鼾睡爲不治用前藥亦有得生者三生飲乃行經絡治寒痰之藥有斬關奪旗之功每服必用人參兩許以袪其邪而補助真氣○王氏準繩曰痰涎壅盛者每服加全蠍

醫林○大省風湯　治中風痰涎壅盛口眼喎斜半身不遂不省人事

半夏　防風　甘艸　白附子

生川烏　木香　南星生各二錢　蝎梢一箇

防风散
治早藏中风手足緩弱舌強語澁胷膈煩悶志意恍惚身体沉重
防 麻 参
芎 附 桂
楂 赤 苓
枣仁 伽 独
桑 羌 炒 各
羚羊角 各
七戋 羊 丹 五
分 每服五戋
姜五片

薑十片水煎溫服
薑溪吳氏曰風湧其痰于於面部則口眼喎僻塞於胷中則痰涎壅盛是方也防附蝎烏可可以活經絡之風痰而正口眼星半草香可以療胷次之風痰而開壅塞方名曰省風者省減其風之謂也

順氣之劑

諸方順氣先疏氣一劑消風善止痒

濟生○八味順氣散　治中風中氣人先宜服此順氣後進風藥

人參　白朮　茯苓　白芷
青皮　陳皮　烏藥各二錢　甘艸一錢

水煎食遠服○龔氏醫鑑曰或加南星木香以甦痰氣或痰盛加半夏生薑○李氏入門曰當服疏風散火豁痰等藥不開者用此行氣甚捷

五味子湯治肺藏中風多汗惡風欬唾短氣晝瘥夜甚偃臥胷滿息促鼻兩邊下至口色白炎肺俞百壯若色黃其肺已化為血不治
曾杏仁
桂心各半錢
防風　芎
芎各一兩

○吳氏方考曰中風正氣虛痰涎壅盛者主之經云邪之所湊其氣必虛故用四君子以補氣治痰之法利氣爲先故用青芷烏陳以順氣氣順則痰行而無壅塞之患矣此標本兼施之治也

局方○烏藥順氣散　治男婦一切風氣攻注四肢骨節疼痛遍身頑麻頭目旋暈及癱瘓語言謇澁筋脉拘攣又治脚氣步履艱難脚膝軟弱婦人血風老人冷氣胸脅刺痛心腹脹膨吐瀉腸鳴

麻黃　陳皮　烏藥各二兩　川芎
殭蚕　枳殼　白芷　甘艸
桔梗各一兩　炮薑半兩

每三錢水一盞薑三片棗一枚煎七分溫服○憎寒壯熱頭痛加葱白○閃挫疼痛溫酒調服

独活散 治腎藏中風腰脊疼痛脚冷痺弱頭昏耳聾語音渾濁四肢沉重 独(風) 附 斤 防風 定 桂心 各二 芎 菊 [illegible] 茱萸 [illegible] 丹參 膝 解 茸 細 葛 伽 各五 姜 五斤

○癥痒加蒺藜○孕婦不可服○龔氏回春曰
臂痛加羌活桂枝○腰痛加牛膝杜仲○四支
冷痺加附子官桂○虚汗去麻加黄芪○埜氏
日有熱去乾薑加芩○拘攣加木瓜續斷○挾
溼加蒼朮檳榔○骨節走注疼痛加木瓜沒藥
蘇木

薑溪吳氏曰遍身麻痺表氣不順也治以芎
麻語言蹇澁裏氣不順也治以烏陳枳只眼
喎斜面部氣不順也治以芷蠶喉中氣急甘
艸可緩肺氣上逆桔梗可下痰之為物寒則
結滯熱則流行佐以乾薑
行其滯也此治標之劑也

局方○人參順氣散 治風虛氣弱榮衛不和肢節疼
痛身體沉重頭暈拘急手足冷麻半身不遂口
眼喎斜痰涎不利言語蹇澁或脾胃不和心腹

稀涎散
治中風口噤
皂莢雙蛾
江子仁六粒
皂牙三錢
明礬一兩
每用三分吹入

清陽湯
治口眼喎斜
頰腮緊急
胃中火盛
汗不出小便
數
黃芪二錢 升麻一錢
葛根一錢 當歸
紅花 柏桂

刺痛胸膈痞滿霍亂轉筋吐瀉不止等症

川芎　白朮　麻黃　厚朴

桔梗　陳皮　甘草　白芷各四兩

乾薑　人參各一兩　乾葛三兩半

每二錢水一盞薑三片棗一枚葱帯五葉煎八

分服

入門○祛風通氣散　治同前

烏藥一錢半　川芎　白芷　甘草

桔梗　陳皮　白朮各一錢　麻黃

枳殼　人參各五分

薑棗水煎服○楚氏曰按人參順氣宜氣虛兼

過酒者祛風通氣宜氣虛有熱者烏藥順氣宜

中風

星香湯
治中風痰盛服熱藥不得者
南星四錢
木香二分
生姜十片

氣實無熱者

局方○消風散 治諸風上攻頭目昏痛項背拘急肢體煩疼肌肉蠕動目眩旋運耳嘯蟬鳴眼澁好睡鼻塞多嚏皮膚頑麻瘙痒癮疹又治婦人血風頭皮腫痒眉稜骨痛旋暈欲倒痰逆惡心

茯苓 川芎 羌活 人參

荊芥 防風 藿香 蟬蛻

殭蚕 甘艸各二兩 厚朴 陳皮各半兩

爲末每二錢茶清下寒熱頭痛荊芥茶清下小兒急慢驚風乳香荊芥湯下○南豐李氏曰風眼要藥也○楚氏曰加天麻白芷當歸蔾苛爲血風虛風之妙方○婁氏曰凡中風多有痒甚

小続命湯
古今録験方
右加無杏
救急方無
芎杏只十味
四時加減方
春夏加膏
知母芩　秋
冬加圭附芍

不收者局方消風散類主之
小續命湯尤發表汗無汗有亦要詳

發表之劑

局方○小續命湯　治卒暴中風不省人事漸覺半身不隨口眼喎斜手足顫掉語言蹇澁肢體麻痹精神昏亂頭目眩重痰涎併多筋脉拘攣不能屈伸骨節煩疼不得轉側及腳氣緩弱

麻黃　人參　黃芩　芍藥
川芎　甘艸　杏仁　防巳
桂各一兩　防風一兩半　附子半兩

每服三錢薑五片水一盞半煎一盞食前稍熱服○機要曰中風外有六經之形症者先服之解表○無汗惡寒者倍麻杏有汗惡風者倍桂

暑中 挾香合丸來復丹 香薷散 石膏消供皆暑月發散劑 傷暑其氣如火益熾矣 世多不知而混用 故特表而出之 虛人用十味香薷飲 治納涼人須撥 又過飲食甚多解白從寒 霍亂吐丹 此捨此從症劑也 再出乾姜 杏仁肉桂各四 香木白虎湯 本方加赤

芎。此二症，太陽中風也。○身熱無汗不惡寒者，加知母、石膏，去附子。身熱有汗不惡風者，加葛芩。此二症，陽明中風也。○無汗身凉者，加附子、乾薑。此一症，太陰中風也。○有汗無熱，加桂枝、附子。此一症，少陰中風也。○無已上四症，六經混淆，繫于少陽厥陰，或肢節攣痛，或麻木不仁，加羌活、乾薑。

花溪虞氏曰：附子雄壯而有斬關奪將之勢，能引人參、芪並行十二經，以追復其散失之元陽；又能引麻、防、杏仁、芪發表開腠理，以驅散表之風寒；引歸、芍、川芎、芪入血分，行血養血，以滋養其虛損之真陰；或加石膏、知母，以降胃火；或加黄芩，以清肺金。看所挾見症與時月寒溫，加減施治。

薑溪吴氏曰：麻黄、杏仁，麻黄湯也，仲景以之治太陽傷寒；桂枝、芍藥，桂枝湯也，仲景以之

气中
八味順气散
本方加香附子
有痰加南星半
夏
蘇合香丸
木香順气飲
白豆蔻丁香檀
香木香各二兩甘草
藿香各八兩砂仁
四兩
星香散
養正丹

治太陽中風如此言之則中風而有頭疼身熱脊強者皆在所必用也人參甘草四君子之二也局方用之以補氣芍藥川芎四物湯之二也局方用之以養血如此言之則中風而有氣虛血虛者皆在所必用也風淫末疾故佐以防風溼淫腹疾故佐以防已陰淫寒疾故佐以附子陽淫熱疾故佐以黃芩蓋病不單來雜揉而至故其用藥亦兼該也

陽明秦艽升麻扱半表小柴和火陽

寶鑑○秦艽升麻湯　治風寒客手足陽明經口眼喎斜惡風寒四支拘急脉浮緊

升麻　葛根　甘草　芍藥

人參　秦艽　白芷　防風

桂枝　蔥白

水煎熱服得微汗而止○升麻湯乃陽明經藥白芷亦行手陽明經之藥秦艽治口噤防風散

攻裏之劑

風邪桂枝實表而固榮衛使邪不再傷也

攻裏古方三化有風虛滋潤乃通腸

机要○三化湯　中風內有便溺之阻隔者用此導之

大黄　厚朴　枳實　羌活

各等分水煎溫服以利爲度

回春○滋潤湯　治中風大便閉結

枳殼　厚朴　大黄　當歸

生地　杏仁　麻仁　梹榔各一錢

羌活七分　紅花三分

水煎空心溫服如元氣虛弱用蜜導法導之○

埜氏曰按丹溪先生曰大腸風秘有風熱有風

虛一方不可治也乃三化去風熱滋潤潤風虛

表裏俱通之劑

者乎

表裏通和通聖散麻黃硝石可商量

河間○防風通聖散　治一切風熱大便閉結小便赤澀舌強口噤譫妄驚狂並皆治之

防風　川芎　當歸　芍藥

連翹　薄荷　麻黃各四分　石膏

桔梗　黃芩各八分　白朮　山梔

荊芥各三分　滑石二錢四分　芒硝四分　甘草一錢

大黃四分

薑水煎溫服自利去硝黃自汗去麻黃○李氏入門曰內科一切風熱及飲酒中風或便閉或風熱上壅不言等症雜科耳目口鼻脣舌咽喉

風熱風痰等症外科瘡疽瘡癤發斑折撲跌傷等症小兒驚癇積熱諸風潮搐痘出不快等症婦人諸疾凡屬風熱之疾無不治也

蔓溪吳氏曰防風麻黃解表藥也風熱之在皮膚者得之由汗而泄荊芥薄荷清上藥也風熱之在巔頂者得之由鼻而泄大黃芒硝通利藥也風熱之在腸胃者得之由後而泄滑石梔子水道藥也風熱之在決瀆者得之由溺而泄風淫于膈肺胃受邪石膏桔梗清肺胃也而連翹黃芩又所以祛諸經之遊火風之爲患肝木主之芎歸芍藥和肝血也而甘草白朮又所以和胃氣而健脾劉守眞氏長於治火此方之旨詳且悉哉

養血之劑

養榮脉弱雲林製脉實秦艽大劑良

回春○養榮湯　治中風四支不舉痰迷心竅不省人事舌強不能言口眼喎斜半身不遂醫鑑名清神解語湯

雲林製

嚴用和曰中風不可皆以六香清油灌之先通其關則後免諸證癱瘓之症而此藥亦有効也與珍白但不過用耳

當歸　川芎　芍藥　生地
陳皮　烏藥　枳實　菖蒲
麥冬　羌活　黃連　防風
秦艽　茯苓　甘艸　半夏
南星　遠志　各等分
薑三片竹茹一團水煎入童便竹瀝薑汁同服

○大秦艽湯　機要　中風外無六經之形症內無便溺之阻隔知血弱不能養筋故手足不能運動舌強不能言語宜養血而筋自榮此方主之

秦艽　甘艸　川芎　當歸
芍藥　石膏　獨活　茯苓　各一錢
細辛　二分半　羌活　防風　黃芩

白芷　白术　生地　熟地各五分

水煎溫服。如天陰加薑，心下痞加枳。○岡本氏曰：此方有黃芩、石膏，則宜脉浮大數而有力者。養榮湯宜脉微細者也。○虞氏正傳曰：加竹瀝、薑汁妙。

薑溪吳氏曰：中風虛邪也。許學士云：留而不去，其病則實。故用驅風養血之劑兼而治之。用秦艽為君者，以其主一身之風；石膏所以去胃中總司之火；羌活去太陽百節之風疼；防風為諸風藥中之軍卒；三陽數變之邪，責之細辛；三陰內淫之風，責之苓、术；去厥陰經之風，則有川芎；去陽明經之風，則自芷；風熱干氣，清以黃芩；風熱干血，涼以生地；獨活療風濕在足少陰；甘草緩風邪上逆于肺；乃當歸、芍藥者，所以養血於燥風之後，一以濟風藥之燥，一使手得血而能握，足得血而能步也。

調理愈風宜減味五論乃定病清涼

○愈風湯　治一切風症用此調理

人參　白朮　當歸各一錢半　川芎八分

芍藥　半夏　茯苓　陳皮各一錢

枳實　防風　羌活各七分　甘艸三分

薑三片棗一枚水煎入竹瀝薑汁磨木香調服

○埜氏曰加秦艽天麻杜仲熟地黃療肝腎虛筋骨弱語言難精神昏半身不遂偏枯麻痺者即羌活愈風湯之變方也○冷痺加附子官桂○汗多加黃芪○熱盛加黃芩石膏

○五論湯　治中風諸病之總司也

人參五分　白朮　茯苓　甘艸三分

當歸一錢二分　川芎　芍藥　熟苄

半夏各一錢 陳皮七分 南星一錢半 天麻一錢
防風 羌活 獨活各六分 生地一錢
黃芩 黃連各八分 黃檗四分
水煎入竹瀝薑汁溫服○左癱血虛死血加秦艽桃仁紅花○右瘓氣虛溼痰加黃芪木香烏藥○痰迷心竅舌強不言加遠志菖蒲枳實瓜蔞○口眼喎斜加白芷殭蠶○痰盛加枳實瓜蔞○肢體頑麻加烏藥殭蠶桂枝○筋骨疼痛加桂乳香沒藥○頭目眩暈并頭痛加白芷蔓荊藁本○癱瘓加牛膝木瓜
埜氏曰此方論氣虛而用四君論血虛而用四物論痰而用二陳南星論風而用二活防風天麻論熱而用芩連生地黃檗方調治氣血痰熱風五者無有偏勝此所以為調理之

左癱

良剤也

血虛在左半身緩桃紅四物最宜當

丹溪○四物湯加桃仁紅花竹瀝薑汁

半身不遂在左屬死血少血宜之○龔氏醫鑑

日中風滿身刺痛四物湯加荊芥防風蔓荊蟬

退麥門冬○薛氏摘要加鈎藤鈎

○加減潤燥湯　治左半身不遂手足癱瘓語澁

筋痛痰火熾盛眩暈心悸醫鑑名愈風潤燥湯孫尚書方

當歸一錢三分　芍藥二錢　川芎一錢　熟地八分

桃仁六分　紅花四分　生地八分　陳皮八分

半夏　茯苓　南星各一錢　甘艸四分

羌活　防風　薄桂各六分　白术一錢

天麻一錢　黃芩八分　黃檗三分　牛膝

酸棗仁各八分

水煎入竹瀝薑汁溫服○手不遂倍芩桂○足不遂倍蘗膝

埜氏曰四物生血桃紅活血好血生死血活則血燥自潤二陳南星去痰痰去則脾之津液生而納血之藏潤羌防天麻去風則生地芩檗涼熱燥物無如風熱風熱去則潤藥得力酸棗補心心主血也白朮補脾脾心之子也乃薄桂走手牛膝下足爲上下使也此以其潤上下表裏之血燥故各之

右痪氣虛身右兼痰溼乃用六君竹瀝薑

丹溪○四君子湯合二陳湯加竹瀝薑汁在右屬痰與氣虛宜之○肥人多溼少加附子行經○薛氏加釣藤鈎

丹溪○補中益氣湯　治肥人憂思氣鬱右手癱口渴有痰加半夏瀝汁○埜氏曰立齋薛氏常治中風諸症用補中益氣湯兼六味地黃丸補脾肺肝腎培其本而戒疏散攻下之峻劑誠中風治法之王道也後學宜請之○龔氏醫鑑曰中風面目十指俱麻乃氣虛也益氣湯加木香附子羌活防風烏藥

回春○加減除溼湯　治右半身不遂手足癱瘓醫鑑名袪風除溼湯鄭中山方

人參八分　白朮一錢二分　茯苓一錢　甘艸五分

陳皮　半夏　烏藥　枳殼

當歸　芍藥各一錢　川芎八分　蒼朮一錢

白芷九分　桔梗八分　羌活一錢　防風八分
黄芩　黄連各一錢　生薑三片
水煎溫服○身痛加薑黄○脚痛加牛膝防已
葳靈仙
埜氏曰此方四君補氣二陳去痰蒼芷除濕羌防桔梗解風芩連涼熱乃氣虚濕痰而中於風熱之方也然補氣而不順則有壅滞之患故用烏枳氣虚則血不行故歸芎行之

左右俱癱

氣血兩虛癱左右十全太補乃能康
回春○加味太補湯　治左癱右瘓年久不愈大補虛寒之劑也
人参　黄芪　白朮　茯苓
川芎　當歸　芍藥　地黄各一錢
木香　烏藥各三分　沉香三分　牛膝

杜仲　木瓜　薏以仁　防風
羌活　獨活各五分　附子　桂
甘艸各三分
薑棗煎服
埜氏曰四味補氣四味補血三味順氣二味走骨二味走筋三味去風二味温内甘艸和諸藥此乃萬寶回春湯之變方

語澁

言語澁難轉舌散地黄飲子腎虚傷

○省風清痰轉舌湯　治口眼喎斜舌強難言
防風七分　天麻八分　防已　黄芩各一錢
蝎稍七分　蟬蛻八分　陳皮　半夏
枳殼各一錢　茯苓八分　甘艸五分　南星五分
薑三片竹茹一團水煎服

中風不語舌根强硬三年陳醬五合人乳汁五合相和研以生布絞汁隨時少少與服良久當語聖惠方

舌瘖

世醫○河間地黄飲子　治腎虚弱舌瘖不能言足廢不能行

熟地黄　巴戟　山茱萸　肉蓯蓉

石斛　大附子　五味子　白茯苓

石菖蒲　遠志　桂心　麥冬各等分

每一兩入薄荷少許薑棗水煎服

口喎

口喎貝母瓜蔞劑楊氏垂正驗匪常

醫林○貝母瓜蔞湯　治肥人中風口喎麻木左右俱作痰治

貝母　瓜蔞　南星　荆芥

防風　羌活　黄檗　黄芩

黄連　陳皮　白朮　半夏

辛不得汗者人
乳半合美酒半
升和服苑汪方

桂　甘艸　威靈仙　天花粉各等分

薑水煎服○埜氏曰案丹溪先生活套之方也
集要為貝母瓜蔞湯而標名故从之○心法曰
多食溼麪加附子竹瀝薑汁酒一匙行經

本艸○牽正散　治口眼喎斜半身不遂者　楊氏家藏方

白附子　殭蠶　蝎稍

並生用為末每服二錢酒調下

豊溪吳氏曰中風口眼喎斜無他症者主之艽防之屬可以驅外來之風而內生之風非其治也星夏之輩足以治溼土之痰而虛風之痰非其治也斯三者療內生之風治虛熱之痰得酒引之能入經而正口眼又曰白附之辛可使驅風蠶蝎之鹹可使軟痰辛中有熱可使從風蠶蝎有毒可使破結醫之用藥有用其熱以攻熱用其毒以攻毒者大易所謂同氣相求內經所謂衰之以屬也

壽世○天仙膏　治口眼喎斜用艸烏南星白及殭蠶爲末薑汁調塗如歪向左塗右向右塗左正即洗去

萬考○改容膏　治口喎蓖麻子一兩龍腦三分共搗爲膏塗如前法如寒月加乾薑附子各一錢

風氣侵筋安保散頭風入絡愈風欀首風附子摩頭妙附子麋銜酒與房

筋攣

三因○舒筋保安散　治左癱右瘓筋脉拘攣身體不遂脚腿少力乾溼脚氣及溼滯經絡久不能去宣導諸氣

木瓜五兩　萆薢　五靈脂　牛膝

續斷　殭蠶　松節　白芍

烏藥　天麻　葳靈仙　黃芪
當歸　防風　虎骨各一兩
右用無灰酒一斗浸二七日緊封扎取出焙乾
擣末每二錢用浸藥酒半盞調下酒盡用米湯
下一方加狗脊一兩

頭風 回春 ○愈風丹 治三十六種風
蒼朮酒浸　白芷　川烏　艸烏炮四兩
天麻　當歸　防風　荊芥
何首烏炮　麻黃　石斛酒洗　甘艸各一兩
川芎五錢
爲末蜜丸彈子大每服一丸臨臥清茶下勿見
風忌三白○埜氏曰血風疼痛加乳沒五靈脂

荇萊根○常用去艸烏麻黃換黃芪白花蛇丸

妙

首風三因　附子摩頭散　治因沐頭中風多汗惡風當先風一日而病甚頭痛不可以出到日則少愈名曰首風　出金匱要畧方

大附子炮一箇　鹽等分

爲散沐了以方寸七摩疢上令藥力行

漏風三因　麋銜湯　治因醉中風惡風多汗少氣口乾善渴近衣則身熱如火臨食則汗流如浴骨節懈惰不欲自勞名曰漏風

澤瀉　白朮各一兩　麋銜半兩

爲末每二錢酒飲任調下食前服

內風三因○附子湯　治房室竟中風惡風多汗汗出沾衣口乾上漬不能勞事身體盡痛名曰內風

附子　人參　茴香各半兩　茯苓

山藥各二錢半　甘艸　乾薑炮各七錢半

每四錢水二盞薑三片棗少許煎至七分去滓食前服

華陀隱君每用左半身不遂者以四物湯加羌活防風紅花桃仁入竹瀝姜汁右半身不遂者以六君子湯加南星枳實烏藥羌活入竹瀝姜汁左右俱不遂者以大全大補湯杜仲午膝木瓜薏苡仁羌活独活烏藥沉香木香附子相消息而用之命詳病家要覧

華陀君曰中風無汗惡寒續命湯加麻黃防風杏仁依本方一倍名麻黃續命湯有汗惡風桂枝芍藥杏仁加一倍名桂枝續命湯右二症大陽主中風也陽明主症無汗身熱不惡寒其服

傷暑消

桂支黄芩依本方加一倍名白虎續命湯治太陽証無汗身凉加
附子一倍乾姜炮加甘草各一錢名附子續命湯少陽証有汗無熱
桂支炮附子炙甘草本方加一倍名桂支續命湯六経混淆係于
少陽厥陰或肢節攣痛或麻木不仁加羗活連翹各一錢于本方
名羗活連翹續命湯

三年中風　松葉一斤細切以酒一斗煮取三升頓服汗出立愈
千金方

傷暑丸　中暑為患藥下即甦一切暑藥不及此人所不知
半夏一觔　醋五碗煮乾　甘草生　苓各半觔　右姜汁煮糊丸

回生吳茱萸湯　治冒暑或傷冷物或忍飢或大怒乘舟車傷動胃
氣轉筋逆冷　吳茱萸木瓜食塩各半兩同炒焦水三升煮令百
沸入茱萸煎至二升服如無茱萸用塩一撮强者罨耳十三壯醋一鍾煎八分服
暑月感冒或吐瀉擾瀉利等症用之　茱萸侯桂赤
烈熱絡黃七分耳扁六分姜兼

厚朴湯　治乾霍乱　厚朴枳殼良姜檳榔朴硝各錢七大黄二兩水煎

冬葵子湯　治乾霍乱二便不通煩燥悶乱　冬葵子滑石香薷各

木瓜一枚去皮剉末每服五錢

暑

頭疼煩熱

傷暑頭疼煩熱渴香薷散劑入黃連

局方○香薷散　治吐利心腹疼痛霍亂氣逆發熱頭痛轉筋煩悶昏重而欲死者

香薷一斤　扁豆　厚朴各半斤

右末每三錢水一盞酒一分同煎七分去滓水中沉冷服○活人書方不用扁豆加黃連四兩剉薑汁同炒黃色名黃連香薷飲○丹溪心法曰夾痰加南星半夏○虛加人參黃芪○龔氏回春曰暑風搐搦加羌活○瀉利加白朮茯苓○脉虛弱合生脉散○虛汗不止加黃芪白朮

嘔吐
瀉利

○心煩加山梔黃連硃砂○胸脹加枳殼桔梗小便不利加茯苓滑石○嘔吐加藿香陳皮薑汁○渴加葛根天花粉

蓬溪李氏曰香薷乃夏月解表之藥如冬月用麻黃氣虛者尤不可多服

豊溪吳氏曰香薷之香入脾清暑而定吐利黃連之苦入心却熱而治煩心暑邪結胸中非厚朴不散暑邪臨脾胃非扁豆無以和中然必令服者經所謂治溫以清涼而行之是也

六和療嘔而便瀉天水五苓溺赤煎

河間○六和湯　治霍亂吐瀉不止

人參　白朮　茯苓　甘艸
香薷　厚朴　扁豆　縮砂
杏仁　木瓜　藿香　半夏

薑棗水煎服

豊溪吳氏曰六和者和六府也脾胃者六府之總司故凡六府不和之病先於脾胃而調之此知務之醫也香能開胃竅故用藿砂辛能散逆氣故用半杏淡能利溼熱故用茯瓜甘能調脾胃故用扁术補可去弱故用參艸苦可以下氣故用厚朴夫開胃散逆則嘔吐除利溼調脾則二便治補虛去弱則胃氣復而諸疾平蓋脾胃一治則水精四布五經並行雖百骸九竅皆太和矣況於六府乎

醫統

十味香薷飲　治伏暑身倦神昏吐利　百乙選方

香薷二錢　人參　陳皮　白术

白茯苓　白扁豆　黃芪各一錢　木瓜

厚朴　甘艸各半錢

水二盞煎至一盞去柤溫服

豊溪吳氏曰暑能傷氣故身體倦怠神思昏沉暑傷陽邪故併於上而頭重暑邪干胃故

既生且利火熱橫流肺氣受病人參黃芪益肺氣也肺爲子脾爲母肺虛者宜補其母朮苓豆皆補母也火爲母土爲子火實者宜瀉其子厚朴陳皮平其敦阜卽瀉子也香薷之香散暑邪而破滯熱木瓜之酸收陰氣而消脾滯脾氣調則吐利自息肺氣復則倦怠皆除

渴燥溺澀赤

本艸○益元散　又名天水散太白散六一散解中暑傷寒疫癘煩熱吐瀉淋悶止渴　劉氏傷寒直格

滑石六兩　甘艸一兩

爲末每三錢蜜少許溫水調下實熱新汲水下

活人○五苓散　中暑頭痛惡心煩躁心下不快主之

○局方曰神思昏悶加硃砂名辰砂五苓散

生冷傷

止是內傷生冷物理中麴蘗縮砂驗

醫鑑○理中湯加神麯麥芽蒼朮縮砂

治伏暑渴

治外不受寒止是內傷氷水冷物腹痛泄瀉或霍亂吐逆者此專治內溫中消食也

局○縮脾飲　解伏熱除煩渴消暑毒止吐利霍亂之後服熱藥太多致煩躁者並宜服之

扁豆　葛根各二兩　艸果　烏梅

縮砂　甘艸各四兩

每四錢水一大碗煎八分以水沉冷服

蔓溪吳氏曰夏月伏熱爲酒食所傷者此方主之砂仁艸果所以消肉食烏梅乾葛却暑而除煩扁豆甘艸助脾而益胃

過涼傷

納涼太過成寒熱五積藿香正氣專

國醫鑑○五積散　治人避暑於房室之內爲陰寒所遏陽氣頭痛惡寒身形拘急肢節痛而煩心肌膚

大熱無汗者宜用辛溫之劑以解表散寒主之

回春○藿香正氣散　治夏月取冷之過外感風寒內傷生冷頭疼身痛發熱惡寒或惡心嘔吐泄瀉腹脹○依本方外感重加蒼朮羌活去朮内傷重加縮砂神麯

朮益元治疰夏夏時生脉防炎熱

○參歸益元湯　治疰夏病頭疼脚軟食少體虛者

人參五分　茯苓一錢　甘艸三分　當歸

芍藥　熟地　麥冬各一錢　五味子十粒

知母　黄蘗　陳皮各七分

棗一枚烏梅一箇炒米一撮水煎服○飽悶加

縮泄白蔻○瀉加白朮山藥○虛汗加黃芪白朮○夢遺加牡蠣山藥

炎熱于金

○生脉散　治夏月熱傷元氣汗大出欲成痿厥

人參　五味子　麥門冬各等分

水煎服○東垣先生曰六七月溼熱方旺人病骨乏無力身重氣短頭旋眼黑甚則痿軟故孫真人以生脉散補其天元真氣脉者人之元氣也人參之甘寒瀉熱火而益元氣麥冬之苦甘寒滋燥金而清水原五味之酸澁瀉丙火而補庚金兼益五藏之氣也又曰夏月服生脉散加甘草黃芪令人氣力湧出○李氏入門曰不得服人參與五味者白朮烏梅代之

長夏溼蒸方盛體虛困清暑補中益氣全

東垣○清暑益氣湯　治長夏溼熱蒸人四支困倦精神減火懶於動作胸滿氣促肢節疼痛或氣高而喘身熱而煩心下飽悶小便黃而數大便溏而頻或利或渴不思飲食自汗體虛

黃芪　蒼朮　升麻各一錢　人參

澤瀉　神麴　陳皮　白朮各五錢

麥冬　當歸　甘草各三分　青皮二分半

黃蘗二分或三分　葛根二分　五味子九枚

水煎溫服

論曰暑邪干衛故身熱自汗以黃芪甘溫補之爲君參歸朮陳甘微溫補中益氣爲臣二朮澤瀉滲利而除溼升葛甘苦平善解肌熱又以風勝溼也溼勝則食不消而作痞滿故

炒麪甘辛青皮辛温消食快氣腎胃惡燥急食
辛以潤之故以黄蘗苦辛寒借甘味瀉熱補
水虚者益其化源以参味麥冬之
酸甘微寒救天暑傷庚金爲佐
薛氏曰方内用澤瀉猪苓類必其果有濕熱
壅滯方可用之否則虧損其陰而傷其目矣

轉筋者兼風木　建中加木瓜湯　柴胡湯或平胃散加木瓜　厥冷唇
青兼寒氣　建中加附子乾姜湯　身熱煩渴氣麤兼暑者桂苓白
术散香薷散　体重骨節煩疼兼濕化除濕湯或二朮厚朴陳皮湯
浮茯苓猪苓之类　風暑合病石膏理中湯　暑濕相摶二香散多
食寒冷六和湯倍霍香煎調藿香圓情志鬱結七氣湯　轉筋
逆冷呉茱萸湯或通脉四逆湯　邪在上者宜吐垂已自吐利乃當吐之
以攝其氣吐利不止元氣耗散病勢危篤或口渴喜冷或惡寒逆冷
或発熱煩燥去衣被此陰盛格陽不可以其喜冷欲去衣被爲熱理中
湯甚者加附子四逆湯并宜冰冷服之　霍乱已透餘吐餘瀉未已腹
有餘痛宜一味木韜秋豆葉煎服乾者尤佳　大霍香散　治脾胃虚
寒咳吐霍乱心腹撮痛如泄瀉不已最致効　霍香三両陳皮厚朴吉
皮木香人參肉荳蔲神曲麦芽訶子肉白茯苓炙甘草各二両炮姜五錢爲
末右孫東宿

内科摘要清暑益氣湯　治元氣弱暑熱乘之精神困倦胸滿氣促肢節疼痛或小便黄數大便溏頻又暑熱淫刺虐疾之良劑也

升麻　黄芪各一錢炒去汗　蒼朮一錢　人参　白朮　陳皮　神曲炒各五分　甘草炒　乾葛各三分　五味九粒炒

王節齋曰夏月傷暑發熱汗大出無氣力脉虚細而遅此暑傷元氣也　人参　黄芪　麦门　白芍　陳皮　茯苓各一錢　黄連　甘草五分　白朮一錢　知母　香薷各七分　服壯元氣驅暑　兒中暑霍亂泄利等症

夏暑如在途中常　人参一錢　麦门　白芍　茯苓各一錢　五味子十粒　白朮一錢　甘草五分　知母　陳皮　香薷各七　黄芩三分

夏秋暑熱因過飲食冷物傷内又取涼風傷外以致惡寒發熱胸膈飽悶飲食不進或嘔吐泄瀉此内外俱傷寒冷也　人参　黒姜　朴　陳皮　羌活　枳實　白茯苓各一　白朮一錢　甘草五分　三方俱入姜

病者一身盡痛發熱日晡所劇者名風濕此病傷於汗出當風或久傷取冷所致也可与麻黄杏仁薏苡甘草湯

風濕相搏骨節疼痛不得屈伸近之則痛劇汗出短氣小便不利惡風不欲去衣或身微腫者甘草附子湯主之

濕

裡濕　濕邪在裏成諸病滲濕五苓作總司

回春○滲濕湯　治一切濕症

陳皮　澤瀉　猪苓各一錢　白朮

茯苓　蒼朮各一錢半　川芎　香附子

厚朴　縮砂各七分　甘草三分

薑一片　燈心一團　水煎服

表濕　風濕并來侵表者除風濕防已黄芪

風濕　東垣○除風濕羌活湯　風濕相搏一身盡痛者主之

羌活七分　防風　升麻　柴胡各五分

藁本　蒼朮各一錢

水煎溫服

金匱○防已黄芪湯　治風溼脉浮身重汗出惡風

防已一兩　黄芪一兩二錢半　白术七錢半

甘艸半兩

每五錢薑四片棗一枚水盞半煎八分溫服○

喘加麻黄○胃氣不和加芍藥○氣上衝加桂

枝○下有沉寒加細辛　花溪虞氏曰溼勝身重陽微中風則汗出故用芪艸以實表防术以勝溼

寒溼局方滲溼袪寒溼甘艸附湯五積宜

局方○滲溼湯　治寒溼所傷身重腰冷如坐水中小

便或澁或出大便溏泄腰下重疼兩脚疼痛腿

膝或腫或不腫小便利反不渴者主之

炮乾薑　茯苓各二兩　蒼朮　甘艸
白朮各一兩　陳皮　丁香各二錢半
每四錢水一盞半棗一枚薑三片煎七分溫服

壽世○五積散　治寒溼客於經絡腰脚酸疼渾身麻木

金匱○甘艸附子湯　風溼相搏骨節煩疼掣痛不得屈伸若汗出短氣小便不利惡風微腫者主之
甘艸二兩　附子二枚　白朮二兩　桂枝四兩
水六升煮取三升溫服○若不嘔不渴脉浮虛者去朮加薑棗名桂枝附子湯○若小便自利大便堅者去桂加薑棗名白朮附子湯○朱氏活人曰身腫者加防風悸氣小便不利加茯苓

溼熱

成氏曰桂苛之甘辛發散風邪而固衛附朮之辛甘解溼氣而溫經

溼熱求奇効滲溼芩連除溼上焦羇

奇効○清熱滲溼湯　治溼熱相搏

黃蘗塩炒二錢　黃連　茯苓　澤瀉各一錢

蒼朮　白朮各一錢半　甘草五分

水煎服

埜氏○芩連除溼湯　治溼熱傷上焦頭重苦痛目赤耳聾鼻塞浮腫黃疸等症

黃芩　黃連　蒼朮　茵陳

羌活　蔓荊

薑五片水煎熱服取汗

脾溼

脾虛受溼煎熬平胃正氣六君擇用治

玉机○對金飲子　治脾胃受濕腹脹不食身重皮膚微腫肢節酸痛

平胃散一兩　桑白皮一兩

薑水煎服

丹溪先生曰平胃散治濕上焦之藥也經云濕上甚而熱治以苦溫佐以甘辛以汗爲効而止又云濕在上宜以微汗而解不欲汗多故不用麻黄乾葛輩楚氏曰對金飲子合二陳湯治脾弱不能制濕變生諸症尤妙○案局方出平胃散方加於傷寒門名曰對金飲子方後云水氣腫滿加桑白皮劉氏取之特爲加桑白皮之名也蓋桑白皮肺藥也平胃散脾藥也肺屬金取脾藥而對肺藥有子母相生之妙也

準繩○除濕湯　治寒濕所傷身體重著腰脚酸疼大便溏泄小便或澁或利

即不換金正氣散加　白术　茯苓

埜氏○六君子湯加蒼朮厚朴

脾胃虚而溼甚者主之

腎溼

獨活寄生湯并腎著湯腎虚受溼最能爲

三因○腎著湯　治身重腰冷痹如坐水中形如水狀

反不渴小便自利食飲如故病屬下焦從身勞

汗出衣裡冷溼久而得之腰以下冷痛腰重如

帶五貫錢

甘艸　白朮各二兩　炮乾薑　茯苓各四兩

每四錢水盞半煎七分食前服

薑溪吳氏曰乾薑辛熱之物辛得金之燥熱

得暘之令燥能勝溼暘能曝溼故象而用之

朮艸甘溫之品也甘得土之味溫得土之氣

土勝可以制溼故用以佐之白茯甘淡之品

也甘則益土而以防水淡則開其

竅而利之此圓師必缺之義也

燥

表燥

表燥皮枯潤膚飲

正傳生血潤膚飲　治體膚虛弱血少皮膚拆裂手足枯燥搔之屑起血出痛楚

當歸　生地　熟地　黃芪各一錢

天門冬一錢半　麥門冬一錢　五味子九粒

黃芩　瓜蔞　桃仁　紅花各五分

升麻二分

水二盞煎一盞溫服○如大便結燥加麻仁郁李仁各一錢

裏燥

裏燥生津消渴甚

入門○活血潤燥生津飲　治裡病消渴

當歸　生地　熟地　天門

麥門　五味　瓜蔞　麻仁

甘艸　天花粉

水煎溫服

腸燥

大便腸燥潤腸湯陰虛火燥滋陰降火品

火

實火

實火瀉之宜白虎黃連解毒乃輕方

○黃連解毒湯　治三焦實火內外皆熱煩渴小便赤口生瘡

黃連　黃芩　梔子　黃檗

連翹　芍藥　茈胡

水煎食後服

甲山氏曰苦者瀉火黃芩味苦而質枯所以瀉上焦之火黃連味苦而質燥所以瀉中焦之火黃檗味苦而潤所以瀉下焦之火梔子仁味苦其性屈曲而能下行所以瀉五藏之游火

埜氏曰芩瀉肺大腸之火連翹瀉心小腸之火黃檗瀉腎膀胱火黃連瀉脾胃火柴胡瀉

肝膽火中梔瀉三焦屈曲火而夫火盛熾則陰血受傷故芍藥益榮血收陰氣而泄邪熱此方乃五藏六府表裏上下爲火劑之主藥

便堅裡實求承氣防風通聖表裡溫

虛火

虛火補之分氣血補中益氣氣虛當血虛四物加

知蘗加味逍遙散用必當

火動陰虛滋陰降火湯人中白散甚神良

陽虛火衰如眞火附子理中冷服康

鬱火

鬱火發之分表裏表邪羌活沖和湯與麻黃湯必陽

半表柴胡小在裏升陽散火湯凉

肝火

肝火可清龍會劑清肝溫膽小柴神

正傳○當歸龍會丸　瀉肝火大盛之要藥因內有溼

熱兩脇痛甚伐肝木之氣肝實宜之　方　河間先生

當歸　龍膽　蘆薈　山梔

黄連　大黄　青黛各五錢　木香二錢半

麝香五分別研

爲末麯糊丸梧子大每二十丸薑湯下○一方加青皮一兩熱甚者烘熱服○一方加芩蘗各一兩蜜丸小豆大

摘要○柴胡清肝散　治肝胆二經風熱怒火頸項腫痛結核不消或寒熱往來嘔吐痰又治婦人暴怒肝火内動經水妄行胎氣不安等症

茈胡　黄芩各一錢　黄連　山梔各七分

當歸一錢　川芎六分　芍藥　牡丹皮各一錢

升麻八分　甘草三分

水煎服若脾胃弱去芩連加茯苓

方考○温胆湯　胆熱嘔痰氣逆吐苦夢中驚悸主之

摘要○小柴胡湯　治肝胆風熱或寒熱往來或晡熱潮熱或怒火口苦耳聾咳嗽瀉利腹脹作痛諸症○加牡丹皮山梔名加味小柴胡湯

心火

三黄三補涼心火

千金○三黄丸　瀉五臓火

黄芩　黄連　大黄

爲末蜜丸烏豆大米飲下

豊溪呉氏曰心膈實熱在燥面赤者此方主之味之苦者皆能降火黄芩味苦而質枯黄連味苦而氣燥大黄苦寒而味厚質枯則上浮故能瀉火於膈氣燥則就火故能瀉火於心味厚則喜降故能蕩邪攻實此天地親上親下之道水流溼火就燥之義也

東垣加減涼膈散本方去大黃芒硝加桔梗竹葉治六經熱及傷寒餘熱五日煩保命名桔梗散治肺熱脉洪無二多渴者是熱之在上焦

肺火

丹溪○三補丸　治上焦積熱泄五藏火

黃芩　黃連　黃蘗等分

爲末蒸餅丸梧子大每白湯下二三十丸

曹溪吳氏曰少火之火無物不生壯火之火無物不耗內經云壯火食氣是也故少火宜升壯火宜降今以三物降其三焦之壯火則氣得其生血得其養而三焦皆受益矣故曰三補

涼膈上焦肺火鎭

局方○涼膈散　治藏府積熱煩躁多渴面熱頭昏脣焦咽燥舌腫喉閉目赤鼻衄口舌生瘡痰實不利涕唾稠粘睡臥不安譫語狂妄腸胃燥澀便溺祕結一切風壅並宜服之

大黃　芒硝　甘艸各二兩　連翹四兩

山梔　黄芩　菝苛各一兩　竹葉七片

每二錢水一盞入竹葉七片蜜少許煎七分食後溫服○王氏難知曰易老法涼膈散去硝黄加桔梗同爲舟楫之劑浮而上之治胸膈中與六經熱名曰加減涼膈散○龔氏壽世曰咽喉痛加桔梗荊芥○酒毒加葛根黄連○咳嘔加半夏生薑○衄嘔血加生地赤芍○小便淋瀝加滑石茯苓○風眩加防風川芎○斑疹加荊芥赤芍○咳嗽加桑皮杏仁○結胸加桔梗枳殼○譫語發狂加生地赤芍○眼生翳膜赤澁流淚加菊花木賊

豊溪吳氏曰芩梔味苦而無氣故瀉火于中連翹薄苛味薄而氣薄故清熱於上大黄芒

硝醎寒而味厚故諸實皆瀉用
甘艸者取其性緩而戀膈也

脾火

胃火中焦投芍藥

回春○芍藥湯　治脾火或消穀易飢或胃熱口燥煩
渴或唇生瘡

芍藥　山梔　黃連　石膏
連翹　薄荷　甘艸
水煎服

○加味清胃散　瀉胃火　方見牙齒

腎下

下焦腎火通關丸　珍方

方君○滋腎丸
腎火起於湧泉之下者主之○熱自足心直衝
股內而入腹者謂之腎火起於湧泉之下知蘗

苦寒水之類也故能滋益腎水肉桂辛熱火之屬也故能假之反佐此易所謂水流濕火就燥也

丹溪○大補丸　治陰火

黃蘗一味酒炒爲末粥丸或水丸煎四物湯送下氣虛四君子湯下

豐溪吳氏曰腎非獨陰也命門之火寄焉腎水一虧則命門之火無所負而自熾矣故龍雷之火從臍下動也經云水鬱則折之水鬱者腎部有鬱火也折之者制其衝逆也蘗皮味苦而厚爲陰中之陰故能制腎經衝逆之火以火去則陰生故曰大補王氷云壯水之主以制陽光此之謂也氣虛下以四君子湯恐其寒涼而壞脾也血虛下以四物湯助其滋陰而制火也

三焦實火黃連解毒湯　六府益元六乙匁

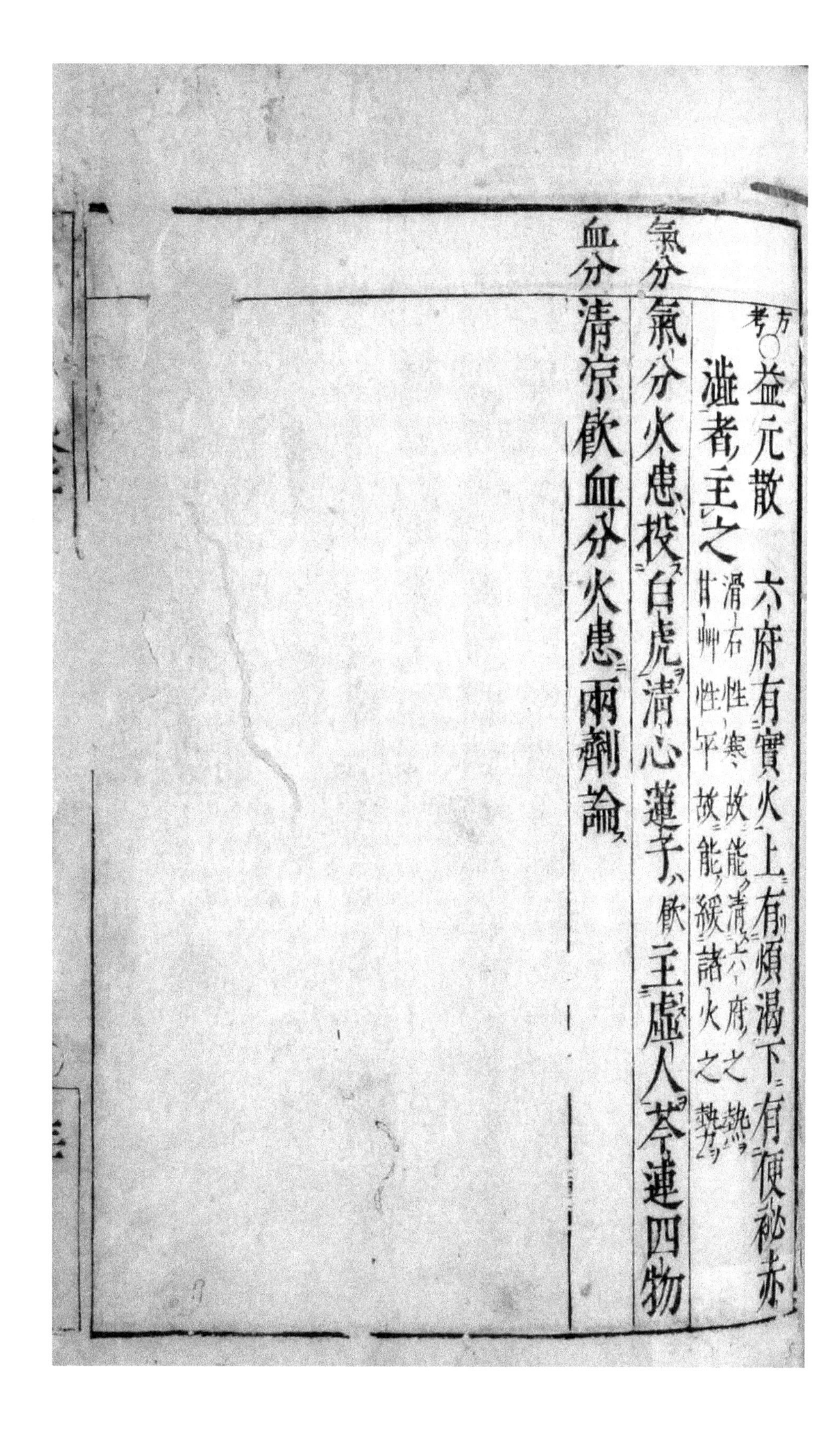

方考○益元散　六府有實火上有煩渴下有便秘赤澁者主之

滑石性寒故能清六府之熱甘艸性平故能緩諸火之勢

氣分　氣分火患投白虎清心蓮子飲主虛人芩連四物

血分　清凉飲血分火患兩劑論

卷之三

勞倦傷

勞力勞倦內傷初發熱補中益氣乃君方

初傳脾　熱中胃

○補中益氣湯　治脾症初得則氣高而喘身熱而煩其脉洪大而頭痛或渴不止皮膚不任風寒而生寒熱

黃芪一錢勞甚　甘草炙各五分　人參三分　當歸二分

陳皮二分或三分　升麻二分或三分

柴胡三分或二分　白朮三分

水二盞煎一盞溫服○以手捫之而肌表熱者表症也只補中益氣湯一二服得微汗則已非正

發汗乃陰陽氣和自然汗出也○若更煩亂如腹中或周身有刺痛皆血澁不足加歸身○脇下痛或縮急加柴胡甘艸○精神短少加人參五味子○春初猶寒少加辛熱之劑以補春氣之不足爲風藥之佐益智艸蔻是也○春月大温加佛耳艸欵冬花○夏月加芩連○秋月加梹榔子艸豆蔻白豆蔻縮砂仁○冬月加益智艸蔻○頭痛加川芎蔓荆○頂痛腦痛加藁本細辛○頭痛有痰沉重懶倦者乃太陰痰厥頭痛也加半夏生薑○夏月嗽加五味子麥門冬○冬月嗽加不去根節麻黃○久病痰嗽肺中伏火去人參以防痰嗽增益耳○食不下乃胸

中胃上有寒或氣澁滯加青皮木香陳皮○口乾嗌乾者加葛根升胃氣上行潤之○心下痞分悶者加芍藥黃連○如痞腹脹加枳實木香砂仁厚朴天寒少加乾薑桂心○不能食而心下痞加生薑陳皮能食而心下痞加黃連枳實○腹痛加白芍炙甘草冷痛加中桂熱痛加生芩○腹痛在寒涼時加半夏益智草蔻之類○臍下痛加熟芐如不已者大寒也加肉桂五分○丹溪先生曰氣虛甚者必少加附子以行參芪氣○挾痰者加半夏更以竹瀝薑汁傳送○龔氏医鑒曰或少加黃蘗以救腎水而瀉陰中之伏火又加紅花三分入心養血○回春曰有

用心太過神思不寧或怔忪[illegible]神遠志石菖蒲○虛火上炎加知母黃檗○夢遺加牡蠣龍骨○下部無力加牛膝杜仲

論曰夫脾胃虛者因飲食勞倦心火亢甚而乘其土位其次肺氣受邪須用黃芪最多人參甘草次之脾胃一虛肺氣先絕故用黃芪以益皮毛而閉腠理不令自汗損其元氣上喘氣短人參以補之心火乘脾須炙甘草之甘以瀉火熱而補脾胃中元氣若脾胃急痛并太虛腹中急縮者宜多用之經云急者緩之白朮苦甘溫除胃中熱利腰臍血胃中清氣在下必加升麻柴胡以引之引黃芪甘草甘溫之氣味上升能補衛氣之散解而實其表也又緩帶脉之縮急二味苦平味之薄者陰中之陽引清氣上升也氣亂於胸中爲清濁相干用去白陳皮以理之又能助陽氣上升以散滯氣助諸甘辛爲用也口乾嗌乾加乾葛脾胃氣虛不能升浮爲陰火傷其生發之氣榮血大虧榮氣不營陰火熾盛是血中

伏火熾盛日漸煎熬血氣日減心包與心主
血血減則心無所養致使心亂而煩病名曰
悗悗者心惑而煩悶不安也故加辛甘微溫
之劑生陽氣陽生則陰長或曰[illegible]溫何能生
血曰仲景之法血虛以人參補之陽旺則能
生陰血更以當歸和之必加黃柏以救腎水
能瀉陰中之伏火如煩猶不止必加生地黃
補腎水水旺而心火自降如氣浮心亂以朱
砂安神丸鎮固之則愈○又曰夫人勞倦則
損氣氣衰則火旺火旺則乘其脾土故倦怠
而熱此元氣傷也益氣湯主之○又曰此方
是飲食勞倦喜怒不節始病熱中則可用之
若未傳爲寒中則不可用也蓋甘酸適足益
其病爾如參芪朮芍五味子之類是也○豐
溪異氏曰五藏六府百穀九竅皆受[illegible]於脾
胃而後治故曰土者萬物之母若飢困勞倦
傷其脾胃則衆體無以受氣而皆病是方也
參芪甘朮甘溫之品也甘者中之味溫者中
之氣氣味皆中故足以補中氣白朮甘而微
[illegible]故能[illegible]脾當歸質潤辛溫故能潤土朮以
以潤之則不剛不柔而土氣和矣用
一能疏通脾胃一能行甘溫之滯也
清陽之氣於地道也蓋天地
萬物皆生天地之氣一降則萬

物皆然觀乎天[illegible]升降而用升麻柴胡之
意[illegible]垣謂脾胃一虛肺氣先
[illegible]皮毛不令自汗而泄肺氣
辨[illegible]人之方而更其論何也余
曰東垣以肺[illegible]肺之毋故畢余以脾胃爲
衆體之毋凡五藏六府百骸九竅莫不受其
氣而毋之是發東垣之未發而廣其意耳豈

曰東垣論南豐李氏曰此方惟上焦痰嘔中焦
溼熱及傷食
脹滿者不宜

辨惑

○參朮調中湯　瀉熱補氣止嗽定喘和脾胃

人參三分　黃芪四分　白朮五分　甘艸三分

陳皮二分　桑皮三分　麥冬　青皮

地骨皮　茯苓各二分　五味子二十箇

水二盞煎一盞溫服

論曰內經云火位之主其瀉以甘以黃芪甘溫瀉熱補氣桑皮苦微寒瀉肺火定喘故以爲君肺欲收急食酸以收之以五味子之酸收耗散之氣止咳嗽脾胃不足以甘補之故

用白朮人參炙甘草苦甘溫補脾緩中爲臣地骨皮苦微寒善解肌熱茯苓甘平降肺火麥門冬甘微寒保肺氣爲佐青皮陳皮去白苦辛溫散胸中滯氣爲使也

脾胃

○調中益氣湯　四支滿悶肢節煩疼難以屈伸身體沉重煩心不安忽肥忽瘦四支懶倦口失滋味腹難舒伸二便淸利而數或上飲下便或大便澁滯不行一二日一見餐泄米穀不化或便後見血見白膿胸滿短氣膈咽不通或痰嗽稠粘口中沃沫食入反出耳鳴耳聾目中流火視物昏花努肉紅絲熱壅頭目不得安臥嗜臥無力不思飲食脉弦洪緩而沉按之一澁者主之

黄芪一錢　人參　甘草各五分　柴胡

陳皮　升麻各二分　蒼朮五分　木香一分或二分

水二大盞煎一盞帶熱宿食消盡服之○時顯熱躁是下元陰火蒸蒸發也加生地黃蘗○大便虛坐不得腹中逼迫血虛血澁也加當歸身○身體沉重雖小便數多亦加茯苓蒼朮澤瀉黃蘗○胃氣不和加半夏生薑

蕓溪吳氏曰脾胃不調而氣弱者此方主之脾胃不調者腸鳴飧泄膨脹之類也氣弱者語言輕微手足倦怠也補可以去弱故用參芪甘草甘溫之性行則中氣不弱手足不倦矣蒼朮辛燥能平胃中敦阜之氣升柴輕清能升胃家陷下之氣木香陳皮辛香能去胃中陳腐之氣夫敦阜之氣平陷下之氣升陳腐之氣去寧有不調之中乎○長澤氏曰補中益氣宜脾胃損傷而陽氣下陷者調中益氣宜脾胃虛弱而腸內不調也補調之二字當味歟

春加蔻智　辨惑

春加蔻智秋芪芍夏蘗知冬月附薑

○升陽順氣湯　治因飲食勞倦腹脇滿悶短氣遇春則口淡無味遇夏雖熱猶有惡寒飢則常如飽不喜食冷物

黄芪一兩　半夏三錢　艸蔻二錢　神麯一錢半

升麻　茈胡　當歸　陳皮各一錢

甘艸炙　黄蘗各五分　人參三分

每三錢水二盞薑三片煎一盞溫服食前

論曰脾胃不足之症須用升茈苦辛味之薄者陰中之陽引脾胃中之清氣行於陽道及諸經生發陰陽之氣以滋春氣之和也又引陽參芪甘草甘溫之氣味上行充實腠理使陽氣得衛外而為固也凡治脾胃之藥多以升陽補氣名之者此也○豊溪吳氏曰清氣在下濁氣在上令人胸膈飽脹大便溏泄者此方主之此皆由於飲食傷其脾氣不能升清

降濁故卑是左也升此辛溫升其清清升則陽氣順矣檗苦寒降其濁濁降則陰氣順矣參芪歸草補其虛補虛則正氣順矣半夏陳皮利其膈膈利則痰氣順矣豆蔻神麴消其食食消則穀氣順矣故曰升陽順氣○長澤氏曰按此方於補中益氣湯加蔻栢夏麴也益氣之方者益氣升陽加藥之品者歷穀降濁最有升降之妙者也

夏加知檗

脾胃○黃芪人參湯　脾胃虛弱上焦之氣不足遇夏天氣熱盛傷元氣精神不足兩脚痿軟煩熱嘔噦自汗頭痛痰嗽心脇腹痛胸中閉塞小便頻數大便難而閉結皆熱傷肺之所致也當先助元氣理治庚辛之不足主之

黃芪一分汗多加一分　升麻六分　人參

橘皮　麥冬　蒼朮　白朮各五分

黃檗　神麴各三分　歸身　炙甘各二分

長夏加寫茱　秋加[illegible]芍

五味子　九箇

水二盞煎一盞食前稍熱服　○如行歩不正脚膝痿弱兩足欹側者已中痿邪加酒洗知蘗令二足涌出氣力也

論曰夫脾胃虛弱遇六七月間身重短氣甚則四支痿軟行歩不正眼黒欲絶此腎水與膀胱俱竭當急救之滋肺氣以補水之源又使庚大腸不受邪熱不令汗大泄也故以人參之甘補元氣瀉熱火也麥冬之苦寒補水之源而清肅燥金也五味之酸瀉火補庚大腸與辛肺金也

○清暑益氣湯　治長夏溼熱成病詳見暑門

即益氣湯去柴加蒼术澤瀉葛根神麹青皮黄蘗五味子麥門冬

○升陽益胃湯　脾胃虛則怠惰嗜臥四支不收時瘥秋燥令行溼熱少退體重節痛口舌乾食

無味大便不調小便頻數不嗜食食不消兼見肺病洒淅惡寒慘慘不樂面色惡而不和乃陽氣不伸故也

黃芪二兩　半夏　人參　炙艸各一兩

防風　白芍　羌活　獨活各五兩

橘皮四錢　茯苓　澤瀉　芘胡

白朮各三錢　黃連二錢

每三錢薑五片棗二枚水三盞煎一盞溫服〇

服藥後小便利而病加劇去茯苓澤瀉

論曰何故秋旺用參朮芍藥之類反補肺爲脾胃虛則肺最受病故因時而補易爲力也

〇薑溪吳氏曰濕淫於內體重節痛口乾無味大便不調小便頻數飲食不消洒淅惡寒面色不樂者此方主之濕淫於內者脾土虛弱不能制濕而濕內生也濕流百節故令體

冬加　壹附

重節痛脾胃虛衰不能運化精微故令口乾心悸中氣既弱則傳化失宜故令大便不調小便頻數而飲食不消也洒淅惡寒者遂邪勝也溼為陰邪故令惡寒面色不樂者陽氣不伸也是方也术夏能燥溼苓澤能滲溼羌獨風柴能升舉清陽之氣而搜百節之溼黃連苦而燥可用之以療溼熱陳皮辛而溫可用之以平胃氣乃參芪甘草用之以益胃而自芍之酸收用之以和榮氣而協羌防柴獨辛散之性耳仲景於桂枝湯中用芍藥亦是和榮之意古人用辛散必用酸收所以防其峻厲猶兵家之節制也

○神聖復氣湯　治氣乘冬足太陽寒氣足少陰腎水之旺子能令母實手太陰肺實反來侮土火木受邪腰背胸膈閉塞疼痛善嚏九竅不利欬嗽痰沫上熱如火下寒如氷頭痛惡風寒喜日陽夜臥不安風痺麻木筋攣肩痛等症皆是寒水來復火土之讎也

末傳寒中

人參　當歸各五分　升麻七分　甘艸八分

陳皮五分　黃芪　茈胡各一錢　附子

乾薑各三分　艸蔻　羌活各一錢　防風五分

梢李五分　半夏七分　藁本八分　葵花五朵

生地　黃蘗　黃連　枳殼各三分

細辛二分　川芎　蔓荊子各三分

右二十三味水煎服

論曰凡脾胃之症調治差誤或妄下之末傳寒中復遇時寒則四支厥逆而心胷絞痛冷汗出舉痛論云寒氣客於五藏厥逆上泄陰氣竭陽氣未入故卒然痛死不知人氣復則生矣夫六氣之勝皆能爲病惟寒毒最重陰主殺故也聖人以辛熱散之復其陽氣故曰寒邪客之得炅則痛立止此之謂也

勞心脾弱勞心傷血者黃芪倍人建中湯

入門　黄芪建中湯　治勞心兼傷乎血而有汗者方

見汗症

埜氏曰黄芪甘艸益氣治勞力芍藥肉桂益血治勞心乃以建立中氣使其生育榮衛通行津液之割尤能止自汗者也

心力雙勞

雙勞心力傷氣血和劑雙和急可嘗

辨惑　○雙和散　大病後氣乏者以此調治

黄芪　川芎　當歸　熟芐 各一錢

肉桂　甘艸 各七分半　白芍 二錢半

薑棗水煎服○南薑李氏曰治心力俱勞氣血俱傷或房室勞役等症○局方曰調中養氣益血和胃進食補虚損止盜汗之方也

東垣曰脾胃氣実則黄連枳実瀉之虚則白朮陳皮補之乎故不食能
者屬脾虚四君子丨補中益氣丨補之不効當補其母八味地黄丨二
神丨夾痰宜化六君子丨夾鬱宜開育氣湯仇木宜安異功丨加木香
沉香子金宜顧肺金虚則盗竊土母之氣以自救而脾益虚甘桔参苓
之类　三錫曰許学士曰有人全不思飲食補脾無効授二神丸服之頓能
進此即補母法　丹溪曰悪食者胸中有物導痰補脾二陳加二朮
香附川芎主之病久胃敗悪聞食氣大劑人参救之

論飲酒過傷

夫酒者大熱有毒氣味俱陽乃無形之物也若傷之止當發散汗
出則愈矣其次莫如利小便二者乃上下分消其濕今之酒病者往往
服酒癥丸大熱之药下之又有用牽牛大黄下之者是無形元氣
受病反下有形陰血乖誤甚矣酒性大熱以傷元氣而復重瀉之況
亦損腎水真陰及有形陰血俱為不足如此則陰血愈虚真水愈弱
陽毒之熱大旺反増其陰火是以元氣消止折人長命不然則虚損
之病成矣酒疸下之久已為黒疸慎不可犯以葛花解醒湯主之
食魚中毒煩乱或已成癥積　燒灰魚鱗　水服二钱　時珍方

飲食傷

傷酒　輕散

傷飲如輕宜解散葛花解酲日陽斜

脾胃○葛花解酲湯　治飲酒太過嘔吐痰逆心神煩亂胸膈痞塞手足戰搖飲食減少小便不利

葛花　白蔻　砂仁各五錢　青皮三分

木香五分　陳皮　人參　猪苓

茯苓各一錢半　神麯　澤瀉　乾生薑

白朮各二錢

爲細末每三錢白湯調下得微汗酒病去○李氏曰酒性溼熱實而傷之者去參朮青香加蒼朮黃連枳椇子菉豆半夏烏梅尤良○酒痰鬲

滿加瓜蔞青黛

豊溪吳氏曰葛花之寒能解中酒之毒苓葛之淡能利中酒之溼砂仁豆蔻木香青陳之辛能行酒食之滯生薑所以開胃止嘔神麴所以消磨炙脾而參朮之甘所以益被傷之脾胃

重寒

甚醒石葛寒之醒四物補中氣血邪

壽世〇石葛湯　飲酒過多太醉難醒服之解之

石膏五錢　葛根　生薑各五分

水煎溫服

梵氏〇紫雪　傷酒太熱狂亂者以少許葛粉湯調灌立醒

傷血

格致〇酒製四物湯　加炒片芩茯苓陳皮生甘草酒紅花生薑水煎調五靈脂末飲之氣弱者加酒

黄芪　治多酒之人酒氣薰蒸面鼻得酒血爲極熱熱血得冷爲陰氣所搏汙濁凝結滯而不行成紫黒色須融化滯血使之得流滋生新血可以運化　加葛花半夏枳殻芍藥神麯麥芽

傷氣

壽世○益氣湯　治飲酒人元氣虚弱四支無力飲食減少面紅如粧○小便閉加麥門冬○大便閉加桃紅澤瀉

傷食

傷食輕消平胃散雲林龔氏用香砂

輕消

局方○平胃散　治脾胃不和心腹脹滿刺痛化消宿食

陳皮　厚朴各五兩　蒼朮八兩　甘草一兩

枳朮丸 治痞消食強胃
實二兩 朮二兩
右同極細末荷葉裹燒飯爲丸如梧桐子大每服五十丸多用白湯下
橘皮枳朮丸 治老幼元氣虛弱飲食不消臟腑不調心下痞悶
橘皮 枳實 白朮二兩
右細末荷葉燒飯爲丸如梧桐子大每服五十丸溫水送下
夫内傷用藥之大法所貴服之強人胃氣令胃氣益厚雖猛食

每二錢水一盞薑三片棗二枚煎七分熱服○
脾胃論曰小便赤澁加茯苓澤瀉○米穀不化
食飲多傷加枳實○胸中痞氣加枳殼木香○
埜氏曰案醫方考因粉傷者當加杏仁○瓜果
傷加糯米○魚肉傷加橄欖○糯傷加白麪○
穀積加茅茶他加減法詳後平胃方後

丹溪先生曰蒼朮性燥氣烈行溼解表甚爲
有力厚朴性溫散氣非脹滿實急者不用承
氣用之可見矣雖有陳皮甘草之甘緩甘辛
亦是決裂耗散之劑實無補土之和經謂土
氣太過曰敦阜亦能爲病況胃爲水穀之海
多氣多血故因其病也用之以瀉有餘之氣
使之平爾又雖察其挾寒得寒物投之胃氣
和平便須却藥謂之平者非補之之謂其可
常服乎○又曰厚朴屬土有火其氣溫能瀉
胃中之實也平胃散用之佐以蒼朮正爲瀉
胃中之溼平胃中之太過以致於中和而已
非謂溫補脾胃也習以成俗皆謂之補哀哉

食重食而不傷也
用食菜者也此菜多也
益胃氣令不復致傷
也

手裹枳朮丸
治因冷食内傷春回
守實　枳砂各二兩
凡法如前亦搗湯浸
蒸餅為丸可也

蜜永枳朮丸
破滯寒滯氣消
寒冷飲食
蜜三錢　炮永五錢　實一兩
凡法如前温水送
食前

生冷腹脹者因其味辛以提其滯氣滯氣行則先去之若氣實人誤服參芪藥多補氣脹悶或作喘者皆宜此瀉之○長澤氏曰辛若甘可寬中故用蒼陳苦者可下氣故用厚朴甘者可健脾故用甘草麯蘗造化者能消食故用神麯麥芽

○香砂平胃散　治傷食

砂仁七分　甘草　木香各五分　枳殼
藿香各八分　香附子　陳皮　厚朴
蒼朮各一錢

生薑一片水煎服○肉食不化加山楂草果○米粉麪食不化加神麯麥芽○生冷瓜果不化加乾薑青皮○飲酒傷者加黄連葛花烏梅○吐瀉不止加朮苓半夏烏楳去枳殼○埜氏曰傷寒物者加丁香益智三稜莪朮○傷熱物者

加芩連大黄必許

埜氏曰傷食者輕則腹脹滿痛嘔吐瀉利經云飲食自倍者腸胃乃傷也此方也香砂溫脾胃枳朴寬脾胃蓬朮導滯附陳降氣甘草和中也脾胃溫則宿食易運化矣脾胃寛則嘔脹滿自退矣滯去則瀉利因止矣氣降則吐乃除矣中和則脾胃自調而無餘滯矣尤可為消食之主方也

重而在下則除下熱傷

重而除下寒備急熱者枳實大黄加

回春○枳實大黄湯　治傷熱物胸腹痞脹大便不通者

枳實　厚朴　大黄　梹榔
甘草

水煎空心熱服以利為度○腹痛甚者加木香

埜氏曰傷食重而在下則痞滿實硬欲瀉不通或瀉而腹不寛是也此方也枳朴黄梹俱

以滞消熱之劑也故可以泄痞滿可以通實堅所用甘草者和三軍調後隊之老也

冷傷

醫鑑 ○備急丹 治胃中停滞寒冷之物及諸心腹卒

蚤参姜枳朮 開胃進食 乾姜二錢五分 蚤三錢 参二錢五分 炙麹四錢 実一兩 伽一兩五錢 凡法同前温水送下 前忌飽食

凡痛方見邪祟

豊溪吳氏曰飲食自倍填塞至陰上焦不行下脘不通則令人腹痛欲死經云升降息則氣立孤危是也以平藥與之性緩無益於治故用大黄巴豆奪命之將軍以主之佐以乾薑則其性利之益速而効益捷矣

方考 ○附子理中湯 口食冷物客寒犯胃中焦痛甚脉沉遲者急以此方主之

考曰凡呑氷飲泉及一切冷物食之過其分量則寒氣凝于中焦故令肚腹大痛脉来沉者爲裏寒遲者爲寒是方也薑附之辛熱所以温中散寒參术甘草之甘温所以益胃於被傷之後也

重而在上

在下在中治已盡又如在上吐能瘥

則吐去

傷冷

○塩湯探吐法　飲食自倍胸膈飽脹宜以此方吐之

燒塩 四合　　溫湯 二升

和勻飲之以指探吐

考曰經云陰之所生本在五味陰之五宮傷在五味故飲食過之則胸膈飽脹者勢也與其脹而傷生孰若吐而去疾故用塩湯之鹹以耎堅復使探喉以令吐

要畧○瓜蒂散　宿食在上脘當吐之　方見傷寒

東垣先生曰難經云上部有脉下部無脉其人當吐不吐者死此飲食内傷塡塞胸中食傷太陰風木生發之氣伏于下宜瓜蒂散吐之素問所謂木鬱則達之也吐去上焦有形之物則木得舒暢天地交而萬物通矣若尺脉絶者不宜用此恐損眞元令人胃氣不復也○丹溪先生曰瓜蒂性急能損胃氣胃弱者宜以他藥代之病後産後尤宜深戒○南豐李氏曰食停於上脘氣壅痰盛者宜吐如傷冷食腹脹氣逆噫氣吞酸惡心欲吐不吐

傷熱

宜平胃散入塩少許探吐如傷熱物或酒好發熱心口刺痛停痰停飲宜二陳湯加黄連枳實探吐傷重體實年壯者方敢瓜蒂散吐之尋常飲食過飽在膈以手探吐爲好

兼外感七情

内傷飲食外邪併行氣香蘇入麴楂

醫鑑○行氣香蘇散　三山陳氏方　治内傷生冷厚味堅硬之物胸腹脹滿疼痛及外感風寒溼氣發熱惡寒遍身酸痛七情氣逆嘔吐洩瀉飲食不下等症

紫蘇一錢　柴胡　陳皮各八分　香附一錢

烏藥八分　川芎　羌活　枳殼

蒼朮各八分　麻黄一錢　甘草三分

薑三片水煎溫服○外感風寒加葱白○内傷飲食加神麴山查子○回春曰溼勝者加蒼朮

一錢

中山氏曰紫蘇羌麻所以散外邪也香陳烏芎枳桔所以順氣行滯也甘草助脾胃和諸氣也夫生冷厚味鬱于中焦而不順化則肚腹脹滿疼痛用之以順化之或風溼寒氣鬱于皮膚而不順化則寒熱不止遍身骨節麻木疼痛用之以順化之七情怒氣鬱滯而不順化則肩背胸膈沉重疼痛飲食難下用之以順化之

兼勞倦傷

脾胃不和成痞悶香砂養胃健坤家

春回○香砂養胃湯　治脾胃不和不思食口不知味痞悶不舒

人參五分　白朮一錢　茯苓八分　木香五分

甘艸　香附子　砂仁　蒼朮

厚朴　陳皮各八分　白豆蔻七分

薑棗水煎服○脾胃寒加薑桂○壽世日胃熱

加山梔黄連○吐痰加半夏

岡本氏曰此方四君子湯合香砂平胃散加白豆蔻木香者也平胃除脾胃之溼痰消食滯四君補脾虛進食乃治脾虛冷不食胸冷胃中有寒痰者能和脾胃藥也

調理

痢瘥後調和脾胃和劑參苓白朮誇

局方○參苓白朮散　治脾胃虛弱飲食不進嘔吐泄瀉久困少力

白藊豆一斤半　人參　茯苓

白朮　甘艸　山藥各二斤　蓮肉

桔梗　薏苡仁　縮砂仁各一斤

爲末每二錢棗湯下○花溪虞氏曰大病後補助脾胃此藥極妙家傳治噤口痢加石菖蒲或有氣加木香

萱溪吳氏曰脾胃喜甘而惡苦喜香而惡穢喜燥而惡濕喜利而惡滯是故也參草扁豆味之甘者也朮苓蓮薏苡甘而微燥者也砂仁辛香而燥可以開胃醒脾桔梗甘而微苦甘則性緩故爲諸藥之舟楫苦則喜降乃能通天氣于地道矣

脾胃論○溫胃湯 專治服寒藥多致脾胃虛弱胃脘痛

人參 艸果 益智 砂仁

厚朴各二分 白蔻 乾生薑 澤瀉

薑黃各三分 黃芪 陳皮各七分

每三錢水一盞煎至半盞溫服食前

飲食傷脾論

四十九難曰飲食勞倦則傷脾又云飲食自倍腸胃乃傷腸澼爲痔夫脾者行胃津液磨胃中之穀主五味也胃既傷則飲食不化口不知味四肢困倦心腹痞滿兀兀欲吐而惡食或爲飧泄或爲腸澼此胃傷脾亦傷明矣大抵傷飲傷食其治不同傷飲者無形之氣也宜發汗利小便以導其濕傷食者有形之物也輕則消化或損其穀此最爲妙也重則方可吐下今立

卷之三

數方區分類析以列于後方見前

要卷之四

氣證

氣虛益氣四君湯氣脫獨參奪命亾

局方○四君子湯　治榮衛氣虛藏府怯弱不思食腸鳴泄瀉嘔噦吐逆心腹脹滿

人參　茯苓　炙甘艸　白朮

每二錢水一盞煎七分服○埜氏曰案醫學綱目虛實門載海藏方無茯苓而有黃芪此專於補氣者也

蔓溪吳氏曰失而色痿白則望之而知其氣虛矣言語輕微則聞之而知其氣虛矣四肢無力則問之而知其氣虛矣脉來虛弱則切之而知其氣虛矣知此則宜補氣是方也本

參甘溫質潤能補五藏之元氣白朮甘溫健脾能補五藏之母氣茯苓甘溫而潔能致五藏之清氣甘草甘溫而平能調五藏愆和之氣四藥皆甘溫甘得中之味溫得中之氣猶之不偏不倚之君子也故曰四君子

○六君子湯　即四君子湯合二陳湯

豐溪吳氏曰東南之土卑溼人人有痰然而不病者以氣壯足以行其痰也若中氣一虛不足以運痰而痰證見矣是方也四君子所以補氣也乃半夏燥溼以制痰陳皮利氣以行痰耳多之且六君子者製半夏之無毒陳皮之弗悍可以與參苓朮草比德云爾○長澤氏曰氣虛甚而兼痰氣者主四君加二陳痰氣多而兼氣虛者主二陳加四君量病主之脾胃衰弱有溼者用淡滲則虛有碍用補益則溼不流宜用此方益四君甘溫補脾二陳辛溫燥溼

○補中益氣湯　即六君去苓半加芪歸升茈

豐溪吳氏曰困乏勞倦傷其中氣者此方主之中脾也坤也萬物之母氣陽也乾也萬物

人又有変方之法如三白湯六君子湯観音散異攻散補中益気湯烏薬順気散木香匀気散七気湯。気温気快気行気散気降気破気消気補気清気皆自此方而変化之也

之父過於用之労倦則百骸皆虚百骸既虚必盗父母以自養而中氣大傷矣不有以補之則形氣不幾於絶乎故用白朮甘草之平補者以補中用人參黄芪之峻補者以益氣土欲燥則當歸随以潤之氣欲滞則陳皮随以利之而升柴者所以升乎甲膽乙肝之氣也蓋甲乙者東方生物之始甲乙之氣升則木火土金水次第而生生矣

脱氣

○獨參湯　即傷寒門奪命散也　諸虚氣弱危急者主之　○煩躁脉微加童便一卮　○身寒脉微者加附子

豊溪吳氏曰氣者萬物之所資始也天非此氣不足以長養萬物人非此氣不足以有生故曰一息不運則機緘窮一毫不續則霄壤判是以病而至於危急良醫以氣為首務也人參味甘性温得天地冲和之氣以成形故用之以補冲和之氣使其一息尚存則可以次第而療諸疾矣煩躁加童便者虚而有火也身寒加附子者回其孤陽也

氣實

氣實枳殻抑覃正氣挾痰七氣二陳康

正傳　木香檳榔丸　金張氏方　此藥流溼潤燥推陳致新滋陰抑陽散鬱破結活血通經治男婦嘔吐酸水痰涎不利頭目昏眩併一切酒毒食積及米穀不化或下痢膿血大便祕塞風壅積熱口苦煩渴涕唾稠粘膨脹氣滿等症

木香　檳榔　青皮　陳皮

黃蘗　莪茂　枳椃　黃連

大黃　黑丑　香附子各一兩

當歸一兩半

爲末滴水爲丸梧子大每服五七十丸溫水下以利爲度

豊溪吳氏曰內經云溼淫所勝平以苦熱故用木香熱者寒之故用黃連苓檗柳者散之

氣鬱

故用青陳香附強者瀉之故用大黃丑末通
者行之故用檳榔枳殼留者攻之故用莪朮
三稜燥者濡之故用當歸是方也雖質實者
堪與之虛者非所宜也故曰虛者十補勿一
瀉之○局方四七湯方后曰好事者謂
其耗氣則不然蓋有是病服此藥也

◎正氣天香湯

河間先生方　治一切諸氣作痛或上湊心胸或攻築脇肋腹中結塊發渴刺痛月水因之而不調或眩暈嘔吐往來寒熱等症

烏藥二錢　香附八錢　陳皮　紫蘇
乾薑各一錢

水煎熱服

中山氏曰香附陽中之陰血中之氣藥也凡氣鬱血滯必用之為君烏藥紫蘇辛溫香竄用之散諸氣鬱夫氣得寒則易滯得熱則易流乾薑辛熱可順陳皮氣薄味厚可升可降用之引上下之氣

三因○七氣湯　治七氣鬱發致陰陽反戾揮霍變亂吐利交作寒熱眩暈痞滿咽塞

半夏五兩　厚朴　桂心各三兩　茯苓

芍藥各四兩　紫蘇　陳皮各二兩　人參一兩

薑棗水煎服

楚氏曰氣滯則滯半苓之辛淡可滲之氣寒則凝桂朴之苦辛溫可溫之氣鬱則結紫蘇陳皮之辛芳可散之滲溫散之藥隊則軍令太過故用參芍之補收以監制之乃氣鬱之主方也

七情外感兼來者乃用分心氣飲方

局方○分心氣飲　治一切氣不和多因憂愁思慮怒氣傷神或事不隨意使鬱抑之氣留滯不散停於胸膈之間不能流暢致心胸痞悶脇肋虛脹

噎塞不通噫氣吞酸嘔噦惡心頭目昏眩四支倦怠面色萎黃口苦舌乾飲食減少日漸羸瘦

大腹皮　赤芍　木通　半夏

桑白皮　茯苓　肉桂　甘草

陳皮　青皮　羌活各一錢　紫蘇四錢

每三錢水一盞薑三片棗二枚燈心五莖煎七分溫服○雲林龔氏曰加枳梹榔香附治氣百病最能升降陰陽調順三焦○性急加柴胡○多怒加黃連○埜氏曰氣虛而鬱甚者導解鬱則氣愈虛又復補之則鬱愈劇者合四君子湯服之則尤妙○古林氏曰此方見為氣結之症則先拔之譬如有客而先掃席也不可久服

久則氣愈耗鬱益甚也

中山氏曰陳皮青皮腹皮辛溫可以利氣可以破鬱木通茯苓甘淡可以遣滯羌活紫蘇所以解散半夏桑皮所以導痰官桂赤芍破血滯甘草和諸氣益鬱病之聖劑也

氣逆上衝蘇子降三和氣秘最宜嘗

局方○蘇子降氣湯　治虛陽上攻氣不升降上盛下虛痰涎壅盛膈壅不利喘促

當歸　甘草　厚朴　前胡各二兩

蘇子五兩　陳皮　官桂各三兩　神麯五兩

每二錢水一盞半入薑二片棗一枚紫蘇五葉煎八分熱服○南豐李氏曰虛喘加人參五味杏仁○虛煩加知母人參

中山氏曰蘇子厚朴前胡陳皮半夏共能治痰下氣之品也當歸肉桂辛溫熱炙甘草之

氣秘

〇三和散　治五藏不調三焦不和心腹痞悶脇肋䐜脹風氣壅滯頭面虛浮手足微腫肢節煩疼腸胃燥澁大便秘難又治脚氣上攻胸腹滿悶

甘溫收斂虛陽之品也

檳榔　甘草　木香　陳皮

川芎　白朮各七分半　腹皮　羌活

紫蘇　木瓜　沉香各一錢

每二錢水一盞煎六分溫服〇李氏入門曰秘甚加枳殻莱服子皂角

破鬱之品也

中山氏曰沉木陳蘇腹皮檳榔皆順氣開滯所以和脇痛也川芎羌活逐血滯而入厥陰少陽經所以除背痛也木瓜酸溫能利筋脉治脚氣

并轉筋朮艸甘苦溫助胞氣和心腹夫氣血鬱滯則筋脉不利三焦不和用此湯則鬱滯解而三焦和所以有三和之名也

氣腫

氣之腫木香流氣梅核破禦四七當

○木香流氣飲　治諸氣痞滯不通胸膈膨脹口苦咽乾嘔吐少食肩背腹脇走注刺痛及喘急痰嗽面目虛浮四支腫滿大便祕結水道赤澁

陳皮二斤　甘艸　厚朴　紫蘇

青皮　香附各一斤　木通八兩　腹皮

丁香　檳榔　官桂　艸果

莪戌　藿香　木香各六兩　木瓜

人參　白朮　麥冬　石菖蒲

茯苓　白芷各四兩　半夏二兩

每四錢水一盞半薑三片棗二枚煎七分熱服

○婦人血氣癥瘕入艾醋煎○去藿加沉香枳殼大黃名二十四味流氣飲出集驗方

豊溪吳氏曰寒則氣收收則氣不流矣故用丁桂艸果之屬溫而行之熱則氣亢亢則氣不流矣故用麥芩木通之屬清而導之怒則氣逆逆則氣不流矣故用梹榔朴瓜之屬抑而下之恚則氣積積則氣不流矣故用青陳腹香散之屬快而利之喜則氣緩緩則氣不流矣故用參朮甘艸之屬補而益之憂則氣沉沉則氣不流矣故用白芷紫蘇之屬升而浮之愁則氣鬱鬱則氣不流矣故用香附半夏菖藿之屬利而開之或問七氣之來豈能盡至方以二十四味何亦人以弗精專也佘日氣症與諸症不同諸症者痰血積食屬于有形故著于一處偏于一隅可以單方治也夫七情之氣屬于無形上下左右散聚無常故集辛香之品而流動之雖二十四味不厭其繁譬之韓侯之兵多多益善云爾

○四七湯　治氣結成痰涎狀如破絮或如梅核

在咽喉而咯不出嚥不下此七氣之所爲也或
中脘痞悶氣不舒快痰飲喘急惡心嘔吐等
半夏五叉 茯苓四叉 厚朴三叉 蘇梗二叉
每四錢水盞半薑七片棗一枚煎六分熱服○
若因思慮過度陰陽不分清濁相干小便白濁
用此下青州白丸子爲切當○壽世加甘桔枳
○埜氏曰梅核氣加香附陳皮瓜蔞貝母尤良

冷氣

冷氣相冲爲痛者塩煎散劑主良薑
○塩煎散 治一切冷氣攻冲胸脇疼痛及脾胃
虚冷不思飲食成諸症
青皮四錢 蒼朮 良香各一兩二錢
桂 丁香各二錢 砂仁 茴香各五錢

陳皮一兩　甘艸六錢　山藥八錢

每二錢水一盞半入塩一字煎八分空心食前

服

挾瘀

氣停血分成疼痛爲用復元通氣散

正傳○復元通氣散　治一切氣不宜通瘀血凝滯周

身走痛併跌墜損傷氣滯血分作痛等症

陳皮　白芷　甘艸　玄胡索各一

茴香　穿山甲　木香　當歸各一錢半

乳香　沒藥各五分

爲末每二錢熱酒白湯任下

蘓合香丸治氣中無痰身冷脉沉詳

局方○蘓合香丸　方見邪祟

龔氏壽世曰治男婦中風氣牙關緊閉眼喎斜不省人事一切危急之證尤能順氣化痰神効○劉氏曰中氣即七情內火之動氣厥逆由其本虛故也用蘇合香丸通行經絡其決烈之性如摧枯拉朽恐氣血虛者非所宜也

明人撰須劑　治吐血咯血虛火旋泛方　連翹知母山梔子黃連當歸桔梗升麻前胡柴胡牡丹皮灯心姜

三錫曰血症脉洪実有力精神不倦或覺胸痛滿痛或血是紫血塊者用生地赤芍當歸牡丹荊芥阿膠滑石大黃玄明粉桃仁泥之屬從大便導之此釜底抽薪之法也今人不知從事芩連梔柏輔四物使氣血兩傷脾胃俱傷百無一生悲哉

丹溪曰諸失血過多体倦食少及血不止扶正氣爲急　人參一錢黃芪二錢五味子十粒芍藥麥門當歸身各五分加鬱金末亦可

冒雨或湯氣所薰致衄者　胃苓湯加川芎嗽止浴室中衄此方可也

傷酒衄血理中湯加川芎葛根

血證

血虛　血虛四物八珍湯血脫獨參益氣方

局方○四物湯　血虛者主之方論見婦人門

韓氏忞曰四物湯以當歸爲君芍藥爲臣地黃爲佐芎藭爲使也○豐溪吳氏曰歸芍地黃味厚者也味厚爲陰中之陰故能生血川芎味薄而氣清爲陰中之陽故能行血中之氣然草木無情何以便能生血所以謂其生血者以歸芍地黃能養五藏之陰川芎能調營中之氣五藏和而血自生耶師云血不足者以此方調之則可若上下失血太多氣息幾微之際則四物禁勿與之所以然者四物皆陰陰者天地閉塞之令非所以生萬物者也故曰禁勿與之

氣虛　○八物湯　即前方合四君子湯○李氏入門曰有痰合二陳湯名八物二陳湯

豊溪吳氏曰血氣俱虛者此方主之四君甘溫之品也所以補氣也四物質潤之品也所以補血氣旺則百骸資之以生血旺則百骸資以養形體既充則百邪不入故人樂有藥餌焉

血脫

方考○獨參湯　凡上下失血過多脈微欲絕者急以此方主之○血者氣之守氣者血之衛相偶而不相離者也一或失血過多則氣爲孤陽亦幾於飛越矣故令脈微欲絕斯時也有形之血不能速生幾微之氣所宜急固故用甘溫之參以固元氣所以權輕重於緩急之際也故曰血脫益氣古聖人之法或者不達此理見其失血而主四物湯則川芎之香竄能散幾微之氣而歸芍地黃皆滋陰降下之品

不能生血于一時反以失救劝之權而遺人夭殃矣醫云乎哉○東垣先生曰人參甘溫能補肺中元氣肺氣旺則四藏之氣皆旺精自生而形自盛肺主諸氣故也仲景云病人汗後身熱亡血脉沉遲者下痢身凉脉微血虛者並加人參古人血脫者益氣蓋血不自生須得生陽氣之藥乃陽生則陰長血乃旺也若單用補血藥血無由而生矣素問言無陽則陰無以生無陰則陽無以化故補氣須用人參血虛者亦須用之

○參歸六乙湯　治同前　埜氏

人參六錢　當歸一錢

水煎溫服

蓄血實　血實桃仁承氣下抵當峻劑下焦盪

○桃仁承氣湯　治中焦畜血妄言見鬼昏迷如狂及久病胃脘疼痛等症○丹溪先生曰吐血覺胸中氣塞上吐紫血者桃仁承氣湯下之

○抵當湯　治下部畜血臍下結痛滿硬等症上已

兩方俱見傷寒門

失血　吐紅血熱流行錯犀角地黃必勝常

醫鑒○犀角地黃湯　治上焦有熱口舌生瘡發熱或血熱妄行或下血及不嗽血自來者

烏犀角一錢半　生地黃二錢

赤芍藥一錢　牡丹皮一錢　加

黄芩一錢　黄連一錢

水煎溫服○肝經血加條芩○心經血加黄連麥門冬○脾經唾血加白芍百合○肺經衂血加天門冬山梔百部○腎經血加玄參知檗○三焦溺血加連翹地骨皮○膽經血加柴胡淡竹葉○胃經吐血加大黄乾葛○心胞血倍牡丹皮加茅根○大腸便血加炒梔炒槐花○小腸溺血加炒梔木通牛膝茅根○回春入茅汁磨京墨調服○凡吐紫黒血塊胸中氣塞者加桃仁大黄○丹溪先生曰治吐衂血犀角地黄湯入鬱金同用加芩升麻犀角能解毒

豊溪吳氏曰火逆于中血隨火上火者心之所主故用生犀生地以凉心而去其熱心者

積熱

打撲

局方○必勝散 治男婦血妄流溢成吐衄嘔咯血

肝之所生故用丹皮芍藥以平肝而瀉其母此窮源之治也

人參　炒蒲黃　小薊　地黃

當歸　烏梅　川芎

每五錢水一盞半煎七分溫服

三因○加味芎藭湯 治打撲傷損敗血流入胃脘嘔吐黑血或如豆羹汁

川芎　當歸　白芍　百合

荊芥穗

各等分每四錢水一盞酒半盞同煎七分服

積熱先痰投解毒陰虛後痰降火凉

方考○黃連解毒湯 陽毒上竅出血者主之○治病

必求其本陽毒上竅出血則熱爲本血爲標能去其熱則血不必治而自歸經矣故用芩連梔蘗苦寒解熱之物以主之然惟陽毒實火用之爲宜若陰虛之火則降多亾陰苦從火化而出血益甚是方在所禁矣

虛火

回春○清肺湯　先吐痰而後見血者是積熱也主之

方見咳嗽門

○滋陰降火湯　先吐血而後見痰乃是陰虛火動也主之

血虛

血虛見血三黃補氣逆蘇子降氣康

東垣○三黃補血湯　治六脉俱大按之空虛心面赤善驚上熱乃手少陰心脉也此氣盛多而亾血

以甘寒鎮墜之劑大瀉其氣以墜氣浮以甘辛溫微苦峻補其血

當歸一錢半 川芎二錢 熟地黃二錢 芍藥五錢

黃芪一錢 生地黃三錢 茈胡一錢半 升麻一錢

牡丹皮一錢

每五錢水二盞煎至一盞食前熱服○埜氏曰加人參蘇木尤良

氣壅

入門○蘇子降氣湯 勞心氣壅者主之

○四物加木香檳榔湯 失血後被七情者主之

膏粱暑毒

清胃膏粱成積熱枇杷暑毒犯心堂

○清胃散 治胃經膏粱積熱吐衄方見雜科

○枇杷葉散 治暑攻心嘔血

枇杷葉　陳皮　厚朴　黃連各五分
香薷七分半　麥門冬　木瓜　茅根各一錢
甘草二分
薑棗水煎溫服或爲末水調服○埜氏曰此方
即和劑枇杷葉散去丁香加黃連
方考○人參飲子　東垣先生方　暑月衄血此方主之○
祕藏曰治脾胃虛弱氣促氣弱精神短少衄血
吐血
人參　黃芪各一錢半　麥門冬　當歸
甘草　白芍各一錢　五味子九箇
內經云必先歲氣無伐天和故時當暑月胃肺
金受尅令人之氣之時也理宜清金益氣清金

用麥冬五味益氣用艸芎芍藥之酸所以收其陰當歸之辛所以歸其血此亦虛火可補之例也

勞心

勞心脾損歸脾主無汗補心擇用良

入門○歸脾湯 虛損 治思慮傷脾不能攝血致妄行 方見

○茯苓補心湯　治心氣虛耗不能藏血以致面色痿黃五心煩熱咳嗽唾血

傷胃

三因○理中湯　病者因飲食過度傷胃或胃虛不能消化致飜嘔吐逆物與氣上衝蹶胃口決裂所傷吐出其色鮮紅心腹絞痛自汗自流名曰傷胃吐血此方能止傷胃吐血者以其功最理中

肺傷

疏分利陰陽安定血脉也

三才　肺傷成咳嘔雞蘇大薊可商量

濟生　○雞蘇散　治勞傷肺經咳嗽有血

薄荷　黄芪　生地黄　阿膠

貝母　茅根各一錢　桔梗　麥門冬

蒲黄　甘艸各一錢

薑水煎服

入門　○大薊飲子　治咳辛熱傷肺嘔血名曰肺疽

桑白皮　犀角　升麻　蒲黄

杏仁　桔梗　甘艸　大薊

薑水煎服

內　○二灰散　治肺疽吐血並妄行

紅棗和核燒存性　百藥煎煅

各等分為末每二錢米湯調下

而不止宜收斂葛氏十灰藕汁當

入門○十灰散　平江葛氏方

大薊　小薊　側栢葉　荷葉

茅根　茜根　大黃　山梔子

牡丹皮　棕櫚皮

各一錢俱燒存性為末用藕汁或蘿蔔汁磨京

墨調服其血立止

調理

止後早投調理劑補營湯內芎歸望

回春○補榮湯　諸失血止後宜調理也

當歸　芍藥　生地黃　熟地黃

人參　茯苓　梔子　麥門冬

陳皮各等分　甘艸減半　烏梅一箇　棗二枚

水煎溫服

埜氏曰失血之後脾心肝三藏擾亂不安令故參苓甘棗補脾而調生血之藏兩地麥歸補心而和出血之藏芍梔橘梅平肝而理收血之藏然又鎮妄行之火有梔麥生地之寒涼生陰長之陽有參苓甘棗之甘溫益受敗之血有當歸熟地之質潤斂散亂之血有芍藥烏梅之酸收乃陳皮之辛芬能行補藥之滯和甘酸之味尤補營之妙劑調血之良方此即驚悸門四物安神湯也○或曰案諸失血之症衄咳血屬肺咯嘔血屬腎而予乃調理三藏而遺二藏何哉予曰血者三藏之所主三藏理則諸藏之血皆自調故耳然非遺二藏兼而言之肺者脾之子調理之義向於脾腎者肝之母治療之道與肝一見益氣湯六味丸之立論自可知故參艸陳棗肺之補藥芍藥烏梅肺之收藥地黃歸麥腎之補藥茯苓腎之滲藥也何其云不調理二藏乎

新製利金湯　治氣壅之痰　桔梗　貝母　陳皮各三錢　只殼一錢　茯苓三

草五分　姜五片

新製潤肺飲　貝母糯米拌炒　天花粉各二錢　桔梗一錢　草五分　麥門　橘紅　茯苓一錢　生地二錢　酒知母七分　姜三片

五飲湯　心下留飲　脇下癖飲　胃中痰飲　膈上溢飲　腸間留飲　此五飲酒後及傷寒飲冷過多故有此痰　人参　旋覆花　陳皮　枳實　白朮　茯苓　厚朴　半夏　沢瀉　猪苓　前胡　肉桂　芍薬各等分　姜　棗

茯苓飲子　治痰飲蓄心胃怔忡　赤茯苓　半夏　茯神　陳皮　麥門冬各一兩　沉香　甘草　檳榔各半兩

張路玉　王衍飲子　治痰火涎湧盛咳逆喘滿　萎蕤　紫菀　貝母　生姜各三錢　甘草　桔梗　橘皮各一錢　茯苓二錢　橘皮　蜜煎四錢　右長流水煎　入熟白蜜二匕　分二服　氣虛加人参二錢　虛火加肉桂蜜拌　客邪加細辛三分　香豉三錢　咽喉不利嚥膿血加阿膠三錢　藕汁盃半　頭額痛加葱白二莖　便溏加伏龍肝擊碎煎湯澄[illegible]水煎　胸氣塞臨服磨沉香汁數匕

溼痰輕消

痰飲

溼痰色白輕消可爲製二陳總主焉

局方○二陳湯　治痰飲成患或嘔吐惡心或頭眩心悸或中脘不快或發寒熱或因食生冷脾胃不和

陳皮五兩　茯苓三兩　半夏五兩　甘艸一兩半

每四錢水一盞薑七片烏梅一箇煎六分熱服

○丹溪先生曰此方治一身痰之要藥也欲下行加引下藥欲上行加引上藥○風痰加防風南星○熱痰加芩連○溼痰加蒼朮南星○寒痰加乾薑附子○氣痰加木香香附○食積痰

用山楂神麴麥芽○老痰用蛤粉五倍子○痰在四支及皮裡膜外非竹瀝薑汁不行○痰在脇下非白芥子不達○南豐李氏曰血虛合四物湯氣虛合四君子湯○此方惟酒痰燥痰不宜

慈谿趙氏曰丹溪言二陳湯治一身之痰世醫執之凡有痰者皆用夫二陳內有半夏其性燥烈若風痰寒痰溼痰食痰則相宜至于勞痰失血諸痰用之反能燥血液而加病不可不知○豐溪吳氏曰半夏辛熱能燥溼茯苓甘淡能滲溼溼去則痰無由以生所謂治病必求其本也陳皮辛溫能利氣甘艸甘平能益脾益脾則土足以制溼利氣則痰無能留滯益脾治其本利氣治其標也又曰有痰而渴半夏非宜宜去半夏之燥而易貝母瓜蔞之潤余曰尤有訣焉渴而喜飲水者宜易之渴而不能飲水者雖渴猶宜半夏也此溼爲本熱爲標故見口渴所謂溼極而兼勝己之化實非眞像也惟明者知之氣弱加人參

删補方要　壹

重吐下

白朮各六

君子湯

宜吐之瓜蔕散從輕用救急稀涎裡痰欲下控
涎劑神祐滾痰效最遄

三因○控涎丹　治痰唾稠粘夜間喉中如鋸聲多流
唾涎手脚重痛冷痺走注等症
甘遂　大戟　白芥子各等分
為末糊丸梧子大晒乾食後臨臥淡薑湯或熟
水下五七丸至十丸如疾猛氣實加丸數不妨

蓬溪李氏曰痰涎之為物隨氣升降無處不
到入于心則迷竅而成癲癇妄言妄見入于
肺則塞竅而成欬唾稠粘喘急背冷入于肝
則留伏蓄聚而成脇痛乾嘔寒熱往來入于
經絡則麻痺疼痛入于筋骨則頸項胸背腰
脇手足牽引隱痛並以控涎丹主之此乃治
痰之本痰之本水也濕也得氣與火則凝滯
而為痰為飲為涎為涕為癖大戟能泄藏府

之水溼甘遂能行經隧之水溼白芥子能去皮裏膜外之痰氣惟善用者能收奇功也丹溪先生曰痰在脇下及皮裏膜外非白芥子莫能達古方控涎丹用白芥子正此義也

入門○三花神祐丸 金張氏方 治風痰喘嗽氣血滯不通及一切溼熱積結痰飲懸飲變生諸病或水腫大腹實脹喘滿或風熱燥鬱肢體麻痺走注疼痛等症入壯氣實者可暫服之蓋輕粉治水腫鼓脹之藥以其善開溼熱怫鬱故也或去輕粉牽牛亦好

甘遂　大戟　芫花各醋炒五錢

黑丑二兩　大黃一兩　輕粉一錢

為末水丸小豆大每初服二丸漸加二丸日三服溫水下至便利即止多服頓攻轉加痛悶損

入篡要劉氏曰神祐丸牽牛大黃大瀉血氣之溼熱而輕粉又去涎積也芫遂大戟之辭見十棗湯下

豊溪吳氏曰甘遂能達痰涎窠匿之處芫戟能下十二經之飲黑丑亦逐飲之物大黃乃推蕩之劑佐以輕粉者取其無竅不入且逐風痰積熱而解諸藥之辛烈耳此大毒類聚爲丸善用之則能定禍亂於昇平不善用之則虛人真氣慎之

正傳○滚痰丸　王隱君方　治溼熱食積成窠囊老痰

大黃　黃芩各八兩　沉香五錢

礞石一兩　硝煆黃金色

爲末滴水爲丸梧子大每三五十丸量人加減

○王氏準繩有百藥煎五錢　用二黃各八兩　沉礞各五錢　曰

此方得之方外秘傳蓋此丸得此藥乃能收斂

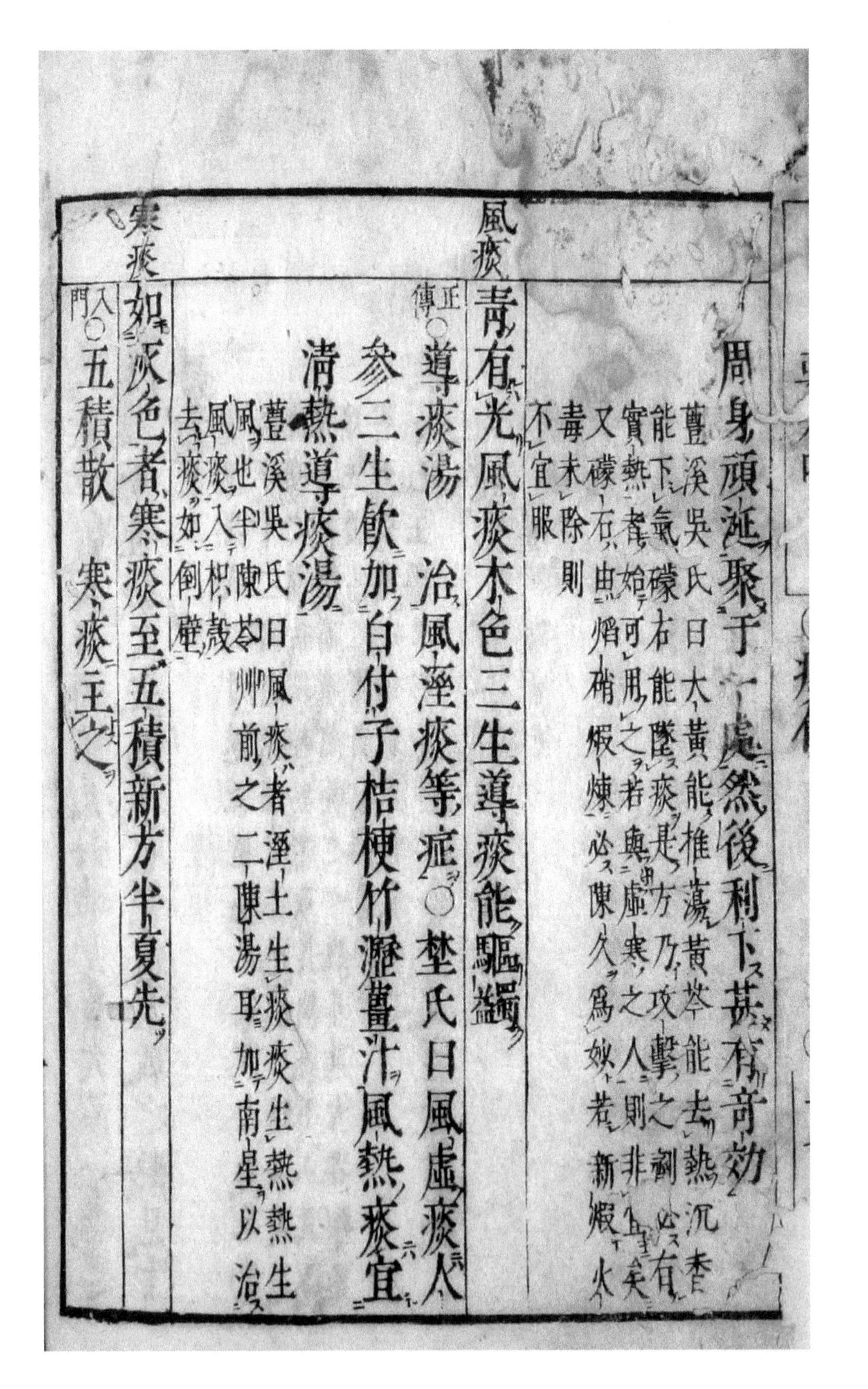

周身頑涎聚于一處然後利下其有奇効

藎溪吳氏曰大黃能推蕩黃芩能去熱沉香能下氣礞石能墜痰是方乃攻擊之劑必有實熱者始可用之若與虛寒之人則非其宜矣又礞石由焇硝煆煉必陳久為妙若新煆火毒未除則不宜服

風痰　青有光風痰本色三生導痰能驅逐

正傳○導痰湯　治風痓痰等症○虞氏曰風虛痰人參三生飲加白付子桔梗竹瀝薑汁風熱痰宜清熱導痰湯

藎溪吳氏曰風痰者淫土生痰痰生熱熱生風也半陳苓艸前之二陳湯耶加南星以治風痰入枳殼去痰如倒壁

寒痰　如灰色者寒痰至五積新方半夏先

入門○五積散　寒痰主之

局方 ○新法半夏湯 治脾寒留飲停積滯氣嘔吐痰水噫氣吞酸

青皮　乾薑各六兩　陳皮　桔梗各一斤

丁子四兩　甘艸十二兩　半夏二兩半

爲末每一錢入塩一捻沸湯點服 ○一方加茯苓

熱痰 稠濁熱痰黃紫色調中大小主黃連

入門 ○小調中湯 治一切痰火及百般怪症

黃連煎水浸艸　甘艸煎水浸連　瓜蔞煎水浸夏

半夏煎水浸蔞

各炒乾爲度四味各等分薑煎溫服或薑汁糊爲丸服尤妙 ○埜氏曰此方治酒痰尤妙

○大調中湯 治虛而挾痰火者

即前方加人參白朮茯苓歸生地芍

埜氏曰加青黛山梔桔梗黄蘗亦良○渴加天花粉

燥痰　瓜蔞枳實治痰燥破痰氣痰四七湯煎

回春○瓜蔞枳實湯　治痰結咯吐不出胸膈作痛或寒熱氣急及痰迷心竅不能言者

黄芩　梔子　陳皮　瓜蔞

桔梗　茯苓　貝母各一錢　當歸

縮砂　木香各五分　甘艸三分　枳實一錢

薑水煎入竹瀝薑汁同服○痰迷心竅加菖蒲去木香○氣喘加桑白皮紫蘇子○埜氏曰渴甚加麥門冬青黛○痰難開加五倍子蛤粉甚加

茯補火許

中山氏曰諸痰爲患者除寒痰外皆主之夫痰雖有風溼燥熱寒氣食諸痰之別皆飲有諸留支痰諸飲之異大都皆主熱故內經曰諸氣膹鬱皆屬肺金丹溪釋之言火之升也儒醫精要云譬諸釜中之水無火之時清清冷冷湛然無滓火一舉之則湛然者皆爲白沫矣人身無病則津液澄清者一病焉則血氣不和不和則經絡壅塞而生熱熱則津液之澄清者亦隨熱渾濁而成痰矣是方也瓜蔞枳實桔梗茯苓貝母陳皮薑汁皆消却痰飲之劑也黃芩山梔竹瀝所以淸痰熱熱淸則痰自收木香宿砂辛溫所以散痰滯滯散則痰不聚當歸甘草甘溫亦以和血脈亦以和諸氣血氣和則痰不生矣

入門〇順氣導痰湯　治痰因氣動者方見中風

食痰　消食化痰痰自食小調中劑酒痰專

方考〇消食化痰丸　飲食生痰胸膈膨悶者主之

半夏　南星　神麯　杏仁

陳皮　萊服子　葛根　山楂
青皮　紫蘇子　麥芽　香附子
星夏之辛能燥溼痰葛根之淸能解酒熱山査
麴芽之消能療飲食之痰青陳蘇杏萊菔之利
能行氣滯之痰痰去則胸膈之膨悶亦去矣

酒痰門

○小調中湯　治酒痰臂脇痛○楚氏曰加葛根
青黛蒼朮茯苓尤良

陽虛門

陽虛八味冷痰見六味陰虛火動煽
○八味丸　治陽虛腎寒不能收攝邪水冷痰溢
上或昏暈夜喘上氣者○鶴溪陳氏曰八味丸
治失志腎虛鬱而生涎短氣喘吸當從小便去
之中有茯苓故○薛氏曰若因命門火衰不能

生脾土者急用八味丸又曰若腎氣虛寒痰上湧用八味丸

陰虛

○二陳湯合四物湯去芎夏加貝母麥冬瓜蔞桔梗治陰虛腎火炎上肺燥者潤而降之○埜氏曰加青黛人中白妙

○六味丸　薛氏曰腎經敗液而爲痰者主之又曰因肝經血燥而生痰者用之又曰腎虛陰火炎上用之

氣血兩虛宜八物脾虛不運六君賢

脾虛

○六君子湯加竹瀝薑汁　治脾虛不能運化者宜補中燥溼○薛氏摘要曰脾氣虛寒而不能主涎用六君子湯加附子脾虛而痰滯氣逆宜

本方加木香因脾胃虛弱而肝木乘侮依本方加柴胡若肺氣虛弱不能淸化而有痰者依本方加桔梗

長澤氏曰痰氣多而兼氣虛者主二陳加四君氣虛甚而兼痰氣者主四君而加二陳量病之輕重爲藥之多寡此六君子之辨也

摘要 ○歸脾湯加柴胡半夏　治脾氣鬱而痰滯者

入門 ○補中益氣湯加半夏竹瀝薑汁　治勞役傷脾失升降者○薛氏曰脾氣虛弱不能消溼加茯苓半夏

氣血[illegible]虛

○八物二陳湯　氣血虛之痰客中焦閉塞淸道者宜溫中燥脾二陳湯氣虛合四君血虛合四物○埜氏曰凡痰用四物者其歸芎地黃俱用

薑炒佐

飲家

飲家肌表在為用小青龍湯　科在裡投玄武甚時以十棗瘥庸醫憚峻劑欲換有沖和九味名羌活五苓滲溼多

○十棗湯　纂要劉氏曰芫花之辛以散飲二物之苦以泄水甘遂直達水氣所結之處乃泄水之聖藥然有毒不可輕用

三錫曰人身中下有塊不痒不痛或作麻木名敗痰失道宜隨處用藥消之無得亦必不治　如結于咽喉耳前後尤為难治氣血和暢則無此病以補養為主功乙針力日久不作膿委属虛如腐肉用針灸而不妄用白芥朴硝二等分為末傳自化為水内服大補藥

又曰眼胞上下如煤黑者痰也

六鬱

氣血不和多鬱結丹溪六鬱總司方

正傳○六鬱湯丹溪先生方解諸鬱

陳皮　半夏　蒼朮　川芎

茯苓　山梔　香附子　甘草

砂仁

薑煎溫服○氣鬱加木香檳榔○溼加白朮○熱加黃連○痰加半夏○血加桃紅牡丹皮○食加山樝麴芽○埜氏曰氣虛鬱合四君血虛鬱合四物春加防風夏加黃芩秋冬加吳茱萸

長澤氏曰氣鬱香附川芎溼鬱蒼朮茯苓熱鬱梔子痰鬱半夏血鬱川芎食鬱砂仁陳皮

乃解熱行鬱之司方也

氣鬱

木香調氣和調氣血鬱當歸活血湯

同春○木香調氣散　治氣鬱腹脇脹滿刺痛不舒脉沉

木香　砂仁各五分　肉桂　甘草各三分

烏藥　香附　枳殼　青皮

厚朴　陳皮　川芎　蒼朮各一錢

薑煎服

血鬱

○當歸活血湯　治血鬱能食便紅或暴吐紫血痛不移處脉數濇也

紅花五分　牡丹皮　香附子　烏藥

枳殼　青皮　官桂　乾薑炒黑

甘艸各三分　當歸　芍藥　川芎

桃仁各一銭

薑水煎服○血結硬痛加大黄○埜氏曰加韮

汁尤妙

食鬱

食鬱消之平胃散瓜蔞枳實鬱痰姤

○香砂平胃散　治食鬱噯氣作酸胸腹飽悶作

痛惡食不思右關脉緊盛

方見飲食加麯芽炒黒乾薑

鬱久成塊去乾薑加大黄

痰鬱

○瓜蔞枳實湯　治痰鬱喘滿氣急痰嗽不出

脇痛脉沉滑也

升陽散火治因熱溼鬱滲之滲溼云

火鬱 ○ 火鬱湯 治熱鬱小便赤澁五心熱口苦舌乾脉數即火鬱也 方見發熱門

溼鬱 ○ 滲溼湯 治溼鬱周身骨節走注疼痛遇陰寒則發脉沉細而濡也

五鬱

木鬱脇疼其脉大塩湯探吐達須寛

升陽散火湯能升散火鬱外寒内熱存

土鬱痞脹堅實燥脉強奪之大承氣湯論

脉浮喘滿名金鬱欲泄麻黄葛根湯用根

水鬱腰疼兼足熱折之太補丸作丸呑

長景岳左歸飲此壯水之劑也凡命门之陰虚阳勝者宜用此飲加減主之熟地自二三錢可加至一二兩隨輕重用之山薬二錢山茱萸一二錢畏酸者少用之炙甘草一錢在奴此果枸杞二錢相火盛者去之茯苓一錢半水二鍾煎七八分食遠温服

右歸飲 此益火之劑也凡命門陽衰陰勝者宜此飲加減主之 熟地用法如前 山藥二錢炒 山茱萸一錢畏酸者少用之 枸杞二錢 炙甘草一二錢 杜仲二錢姜湯炒 肉桂一二錢 附子一二三錢 水二盅煎七八分食遠服

虛損勞極

色白氣虛主四君子，陳加上六君分

摘要○四君子湯　治脾胃虛弱飲食少思或大便不實體瘦面黃或胸膈虛痞痰嗽吞酸或脾胃虛弱善患瘧痢等症○易水先生曰四君子湯治脾損而皮聚毛落益氣可也

龔氏曰按此方治氣分之聖藥也用人參補元氣白朮健脾胃甘草和中茯苓滲淡引人參下行補下焦元氣元氣乃無形之氣屬乎陽乃君子之象焉故名四君子湯

○六君子湯　治證同前　屬虛火須加炮乾薑其功甚速○長澤氏曰脾胃衰弱有溼者用淡滲則虛有疑用補益則溼不流宜用此方益四

君甘溫二陳辛溫燥溼

○香砂六君子湯　即前方加香附子藿香砂仁

血虛四物爲司劑加上梔丹血熱散

○四物湯　治血虛發熱或寒熱往來或日晡發熱頭目不清或煩躁不寐胸膈作脹或脇作痛

龔氏曰按此方治血分之聖藥也用當歸引血歸心經川芎引血歸肝經芍藥引血歸脾經地黄引血歸腎經惟心生血肝納血脾統血肺行血腎藏血男子化而爲精女子化而爲月水血乃有形之物屬乎陰故名四物湯

○加味四物湯　即前方加柴胡山梔牡丹皮

氣血兩虛宜八物十全大補桂芪蘊

○八珍湯　治肝脾傷損血氣虛弱惡寒發熱或煩躁作渴或寒熱昏憒或胸膈不利大便不實

或飲食少思小腹脹痛等症。○易水先生曰治心肺損及胃飲食不為肌膚益氣和血調食

○十全大補湯　治諸虛不足晡發潮熱夜夢遺精面色痿黃腳膝無力一切病後氣不如舊憂愁思慮傷動氣血脾腎氣弱五心煩悶喘嗽中滿補虛損大有神効

人參　白朮　茯苓　甘艸

黃芪　當歸　川芎　白芍

熟地黃　肉桂各等分

每二錢水一盞薑三片棗二箇煎七分溫服

虞氏曰十全大補實為諸虛之關鍵也用參芪苓朮甘草以補氣虛用芎歸芍地肉桂以補血及氣血兩虛之劑或血虛而氣實或氣虛而血尚充者其可一例施乎宜如之

新定清寧膏
用不傷脾胃
不礙肺除行新
治劳嗽
吐血必不可缺者
功驗
麥門冬十兩　生地
十兩炒　橘香三兩　桔
梗二兩　龍眼肉八兩
再廿二兩煎成膏
加薏苡炒熟川
貝母六兩去心米拌炒忌火
薄荷五錢
俱為極細末拌
勻煎膏內時
置口中噙化

脾虛損常以扶苓補之而無及水短少者服之有功虛而小便數者多服則令人目盲虛而多汗者久服損真元以其味淡而利竅也又如肺氣弱及元陽虛者當以黃芪補之然肥白人及氣虛而多汗者服有功若蒼黑人脊氣有餘而未甚虛者服必滿悶不安以其性塞而閉氣也甘艸為健脾補中及瀉火除煩之良劑然嘔吐與中滿及嗜酒之人多服必斂膈不行而嘔滿增劇以其氣味之甘緩也川芎為補血行血清利頭目之聖藥然骨蒸多汗及氣弱之人久服則真氣走散而陰愈虛甚以其氣味之辛散也生地黃能生血脉然胃氣弱者服之防損胃不食熟地黃補血養血然痰火盛者恐泥膈不行人參為潤肺健脾之藥若元氣虛損者不可缺也然久嗽勞嗽咯血鬱火在肺分者服之必加嗽增喘不寧以其氣味之甘溫滯氣然也白芍藥為涼血益血之劑若血虛腹痛者豈可缺歟然形瘦氣弱稟賦素虛寒者服之恐伐生發之氣以其氣味之酸寒也

醫林

○周貞飲子　治中年已上之人陰陽兩虛血氣不足頭每痛日晡微熱少食力倦精氣時脫腰

遠志飲子
治心勞虛寒夢
寐驚悸
歸脾湯去
白术木香
加肉圭是之

辭酸服之者每得良效

人參　山藥　當歸　黃芪各一錢
熟地一錢半　白术　澤瀉　山茱
補骨脂各五分　五味子十粒　黃蘗一錢
陳皮　白茯各八分　杜仲七分　炙甘七分
水煎服

孤竹王氏曰門冬地黃雖於滋陰久則滯胃滯經致生痞滿又或多服金石桂附助陽久則積溫成熱耗損真陰痰火易動消渴肺痿症作惟此方備五味中年已上之人可以常服

心脾血虛歸脾思脾肺氣虛益氣云

摘要　歸脾湯　治思慮傷脾不能攝血致血妄行或健忘怔忪驚悸盜汗或心脾作痛嗜臥少食或

玉散
養胃氣和脾
進食
即異功散加黃
芪粟米炙姜
棗煎服加扁豆
八珍散
桔梗五味子名
十珍散
石出續易簡

大便不調或肢體腫痛或患瘧痢大凡懷抱鬱結而患諸症或因用藥失宜尅伐傷胃變成諸症者宜之

遠志一錢　酸棗仁二錢　木香五分
白朮　甘艸五分　當歸　人參
黃芪　茯苓　龍眼肉二錢

薑棗水煎服

薑溪吳氏曰內經云五味入口甘先入脾參芪苓朮甘艸皆甘物也故用之以補脾虛則補其母龍眼遠志所以養心而補母脾氣喜快故用木香脾苦亡血故用當歸此主脾傷之方也

○加味歸脾湯　即前方加牡丹皮山梔各一錢

治脾經血虛發熱等症

○補中益氣湯　治中氣不足或誤服尅伐四支倦怠口乾發熱飲食無味或飲食失節勞倦身熱脉洪大而無力或頭痛惡寒自汗或氣高而喘身熱而煩脉微細軟弱自汗體倦少食或中氣虛弱而不能攝血或飲食勞倦而患瘧痢或元氣虛弱感冒風寒不勝發表宜用此代之或入房而後勞役感冒或勞役感冒而後入房者急加附子

人參　黃芪　白朮　甘艸各一錢半

當歸一錢　陳皮五分　茈胡　升麻各三分

薑棗水煎服○南豐李氏曰只是虛症全不挾外感氣甚下陷者升茈俱用酒炒若有汗者用

密收斂而降之○埜氏曰東垣先生之方八味分量多相近故宜初病熱中者與不甚虛及元氣下陷者挾外感者立齋之方分量甚相遠也宜補脾肺元氣與虛甚者用者詳之祁門陳氏曰人參補中黃芪實表凡內傷脾胃發熱惡寒吐泄怠臥脹滿痞塞神短脈微者當以人參爲君黃芪爲臣若表虛自汗亡陽潰瘍痘疹陰瘡者當以黃芪爲君人參爲臣不可執一也

肝腎虛羸六味丸水虛火亢有功勲

○六味丸　治腎虛作渴小便淋祕氣壅痰涎頭目眩暈眼花耳聾咽燥舌痛齒痛腰腿痿軟等症及腎虛發熱自汗盜汗便血諸血失音水泛爲痰之聖藥血虛發熱之神劑又治腎陰虛脊

津液不降敗濁爲痰或致欬逆又治小便不禁收精氣之虛脫爲養氣滋腎制火導水使机關利而脾土健實

牡丹皮　茯苓　澤瀉各三兩　地黄八兩
山茱萸　山藥各四兩

龔氏壽世曰加麥冬五味名八仙長壽丸○腰痛加鹿茸木瓜續斷○淋瀝倍茯苓澤瀉○渴加五味子○老人夜多溺加益智去澤瀉減茯苓○虛火耳聾加知蘗遠志石菖○小兒遺尿加破故紙益智人參肉桂○腎氣熱加知蘗

豊溪吳氏曰腎非獨水也命門之火並焉腎不虛則水足以制火虛則火無所制而熱症生矣令人足心熱陰股熱腰脊痛是也熟地山茱萸味厚者也經曰味厚爲陰中之陰故能

院甫先生曰吳氏趙氏之所説全識詳而尽矣仲景意有唯補火而必補火之意矣八兩地黄八月一乃附桂唯取於血化引至而已之説実可也

滋火臣補腎水澤瀉味甘鹹寒甘從濕化鹹從水化寒從陰化故能入水藏而瀉水中之火丹皮氣寒味苦辛寒能勝熱苦能入血辛能生水故能益陰陰平虛熱山藥茯苓味甘者也甘從土化土能防水故用之以制水藏之邪且益脾胃而培萬物之母也○蓬溪李氏曰地黄丸用茯苓澤瀉者乃取其瀉膀胱之邪氣非引接也古人用補藥必兼瀉邪邪去則補藥得力一闢一闔此乃玄妙后世不知此理專一勝千補所以久服必至偏勝之害也

火虛八味能生土甚者鹿茸大補欣

○八味丸　治命門火衰不能生土以致脾胃虛寒飲食少思大便不實或下元冷憊臍腹疼痛夜多漩溺

卽前方加桂附各一兩經云益火之源以消陰翳卽此藥也

丹溪先生曰八味丸用附子以爲少陰嚮導其後世因以附子爲補藥誤矣附子走而不守取其健悍走下之性以行地黄之滯可致遠爾○昆山王氏曰八味丸用澤瀉寇氏謂不過接引桂附等歸就腎經別無他意愚謂八味丸以地黄爲君餘藥佐之非止補血兼補氣也氣者血之母東垣所謂陽旺則能生陰血也地黄山茱茯苓丹皮皆腎經之藥附子官桂乃右腎命門之藥皆不待澤瀉之接引而至也則八味丸之用此蓋取其瀉腎邪養五藏益氣力起陰氣補虛損五勞之功而已雖能瀉腎從于諸補藥羣衆之中則亦不能瀉矣又曰其用地黄爲君者大

補血虛不足與補腎也用諸藥佐之者山藥強陰益氣山茱強陰益精而壯元氣白茯苓補陽長陰而益氣丹皮瀉陰火而治神志不足澤瀉養五藏益氣力起陰氣而補虛損五勞桂附補下焦火也又曰仲景八味丸兼陰火不足者設仲陽六味丸為陰虛者設附子乃補陽之藥為行滯也 ○ 豐溪吳氏曰腎間水火俱虛者此方主之地黃丸以益少陰腎水桂附益命門相火水火得其養則二腎復其天矣

局方 ○ 鹿茸太補湯 治諸虛不足

即太補湯去川芎加鹿茸杜仲茯苓五味子附子薑棗煎服

陽氣暴虛参附　主陰虛降火節齋勤

濟生○参附湯　治真陽不足上氣喘急自汗盜汗氣短頭暈等症

人参半兩　附子一兩

薑水煎服○埜氏曰加黄芪半兩大妙○長澤氏曰此方根本未盡衛氣散解者宜也若陰虛陽暴絶者宜獨参湯中和之味益元也如附子勇烈之氣恐敗喪根本矣

黄芪益損湯　治男女怯弱潮熱婦人産前後最爲要藥
肉桂熟地石斛當歸川芎黄芪　白朮各一兩　半夏五錢　木香三錢　白芍一兩
五味子五錢浮麥百粒每服七錢　一方有人参牡丹山茱麦门茯
参共十六味姜棗烏梅肉無浮麦　治諸虛
酸棗仁湯　治心虛不安怔忡恍惚夜以不安精血虛耗脾胃
浮　酸棗仁二錢遠志肉黄芪蜜水炒蓮肉人参當歸酒炒白茯苓
茯神　陳皮

七損

大怒損肝逆衝氣目暗吐血加味逍遙要平分熱方見鬱

飲食太飽成脾損善臥面黃歸脾湯薛氏仁

思慮憂愁心損到驚悸不睡用朱砂安神

形寒飲冷尤傷肺附子理中湯欬喘俱

溼地坐多仍損腎腰疼厥逆脉微四逆湯入葱真

風寒雨溼傷形者皮膚枯防朮論湯即白朮防風

大怒恐惶傷志意恍惚不樂升陽益胃橘皮陳

五勞

肺勞短氣皮毛槁乃與黃芪脉緩遲黃芪湯亦人參朮茯附桂心薑棗七味也○有熱加麥冬五味子○婁氏曰愚嘗治此症用長沙先生復脉湯尤良

喜怒心勞形忽忽口生瘡便難或時溏利夢授天王補心忠

脾勞瘦弱慵言語為用補中益氣治

面緑者肝勞喜恐畏乃求枸杞酒貽之

腎勞淋瀝囊瘡溼小腹裏急便赤黄背難俛仰是也六味丸中加

藥知

六極

轉筋數到名筋極爪甲痛豬膏作酒嘗

脉極喜忘眉髮落面顏火色人參養榮湯

肉肌消瘦皮枯槁肉極十全大補嘗

氣極喘多言語火千金生脉散丸良

不能行動疼腰脊虎骨酒治骨極方

精極遺精肌消瘦造膠龜鹿二仙藥

王肯堂曰予常用苡仁百合天门麥门桑白皮地骨皮牡丹皮枇杷葉五味子酸棗仁之屬佐以生地黄汁藕汁乳汁童便等如咳嗽則多用桑皮枇杷葉有痰則增貝母有血則多用苡仁百合阿膠熱盛則多用地骨皮食少則用苡仁至七八錢而麥门冬常為之主

以保肺金而滋生化之源無不應手而効

黄芪散　治婦人勞氣食後身痛倦怠夜間盗汗此因失血損榮衛也　黄芪一兩　防風　當歸　白芍　桑葉　乾芐各七分　甘少許　薑棗

雪潭居清肺散　生地一錢　貝母　白芍　蒲黄炒八分　阿膠　天門冬　黄芩各二錢　當歸五分　牡丹皮　知母　炙甘各六分

全左歸丸　熟地一錢　白芍八分　山茱一錢　丹皮六分　山茱　黄茯苓各八分　麥門冬一錢　炙甘少　陳皮各五分

全桂附補陰湯　治腎氣大虚下元冷極白帶腥臭白下無度多悲少樂兩足膝冷　熟地黄一兩　附子三錢　肉桂　黄栢一錢　知母八分　右作三劑　如食少腹脹痛加茯苓　白芍各八分　陳皮五分　元氣虚極加人參一錢　瑞竹堂方

柴前梅連散　治風勞骨蒸久而不愈咳嗽吐血盗汗遺精脈來弦數者　蒿蒲梅胡黄各三錢　猪膽一枚　猪髓一條　韭白三錢　童便二錢　海藏

柴苑散　治咳唾中有膿血虚勞肺痿　參一錢　苑　甘　致　茴各五分　蜈　圖　腴各一錢　會日十五　水煎

人參養肺湯　治肺痿咳嗽有痰午後熱　參　甘　膠各一　茯　桔梗一錢　茴　會日　甜各一　蒿四錢　桑一錢　洞一錢　姜棗　水煎

七珍散　治勞瘵咯血　即四君子湯加山藥黄栢粟米姜棗水煎

陰虛火動

陰虛火動多難救爲製滋陰降火湯

回春○滋陰降火湯　治陰虛火動潮熱咳嗽吐痰喘急盜汗口乾此方與六味丸相兼服之

當歸　芍藥　生地　熟地

天門　麥門　白朮各一錢　陳皮七分

知母　黃蘗　甘艸各五分

薑棗水煎臨服入竹瀝薑汁童便少許服○骨蒸加柴胡地骨皮如服藥數劑熱不退加炒黑乾薑三分○盜汗加黃芪酸棗仁○痰火咳嗽加桑白皮紫菀黃芩○咳血加阿膠黃芩山

梔牡丹○乾咳嗽喉痛痰聲嗄加瓜蔞貝母五味子杏仁○痰火作熱煩躁不安怔忪嘈雜加酸棗仁黃連竹茹辰砂○腰痛加牛膝杜仲○脚腿痿弱加黃芪杜仲牛膝去天門○夢遺泄精加山藥牡蠣杜仲破故紙去天門○小便淋濁加萆薢車前子去芎○小腹痛加茴香木香去麥冬○足心熱加山梔牛膝去麥冬○李氏入門曰氣虛血少加人參黃芪○有痰加瓜蔞貝母○咳嗽加五味子阿膠○夢遺加芡實蓮肉○有熱加秦艽地骨皮○唾吐咯血加茜根藕汁○楚氏曰此方出慈溪王氏明醫雜著其方原有川芎無麥冬雲林龔氏去之加之愚

亦製加減降火湯方去天門生地加人參青黛貝母人中白降陰虛火亢攻上焦者如神

慈溪王氏曰凡酒色過度損傷肺腎真陰陰虛火動勞嗽吐血欬血等症誤服參芪甘溫之劑則病日增服之過多則死不可治蓋甘溫助氣氣屬陽陽旺則陰愈消惟宜苦甘寒之藥生血降火世人不識往往服參芪以爲補而死者多矣○朴墅王氏曰節齋之說本於海藏但綸又過于矯激丹溪言虛火可補須用參芪又云陰虛潮熱喘嗽吐血盜汗等症四物加人參蘗知又云好色之人肺腎受傷欬嗽不愈瓊玉膏主之又云肺腎虛極者獨參膏主之是知陰虛勞瘵之症未嘗不用人參也古今治勞莫過於葛可久其獨參湯保眞湯何嘗廢人參而不用耶今世甘受苦寒雖至上嘔下泄去死不遠亦不悟悲哉○李言聞曰東垣

言生脉散消暑益氣湯乃三伏瀉火益金之聖
藥而海藏言人參補陽泄陰肺寒宜用肺熱不
宜用節齋因而和之謂參芪能補肺火陰虚火
動失血諸病多服必死二家之説皆偏矣夫人
參能補元陽生陰血而瀉陰火東垣之説也明
矣長沙言亡血血虚者並加人參又言肺寒者
去人參加乾薑無令氣壅丹溪亦言虚火可補
二家不察三氏之精微而謂人參補火謬哉夫
火與元氣不兩立元氣勝則邪火退人參既補
元氣而又補邪火是反復之小人矣何以與甘
艸苓朮謂之四君子耶雖然三家之言不可盡
廢也惟其語有滯故守之者泥而執一凡人面

白面黃面青黧黑憔悴者皆脾肺腎氣不足可用也面赤面黑者氣壯神強不可用也脈之浮而芤濡虛大遲緩無力沉而遲澀弱細結代無力者皆虛而不足可用也若弦長緊實滑數有力者皆火鬱內實不可用也潔古謂喘嗽勿用者痰實氣壅之喘也若腎虛氣短喘促者必用也仲景謂肺寒欬勿用者寒束熱邪壅鬱在肺之欬也若自汗惡寒而欬者必用也東垣謂久病鬱熱在肺勿用者乃火鬱于內宜發不宜補也若肺虛火旺氣短自汗者必用也丹溪言諸痛不可驟用者乃邪氣方銳宜散不宜補也若裡虛吐利及久病胃弱虛痛喜按者必用也節齋謂

陰虛火旺用者乃血虛火亢能食脉弦而數凉之則傷胃溫之則傷肺不受補者也若自汗氣短肢寒脉虛者必用也如此詳審則人參之可用不可用思過半矣○李時珍曰古書言知母佐黃蘗滋陰降火有金水相生之義黃蘗無知母猶水母之無蝦也黃蘗能制膀胱命門陰中之火知母能淸肺金滋腎水之化源故潔古東垣丹溪皆以爲滋陰降火要藥上古所未言也蓋氣爲陽血爲陰邪火煎熬則陰血漸涸故陰虛火動之病須之然必少壯氣盛能食者用之相宜若中氣不足而邪火熾甚者久服則有寒中之變近時虛損及縱慾求嗣之人用補陰

藥往往此二味爲君月日服餌降令太過脾胃受傷眞陽暗損精氣不暖致生他病益不知此物苦寒而滑滲且苦味久服有反從火化之害故葉氏醫學統旨有四物加知母黃蘗久服傷胃不能生陰之戒○中山氏曰歸芍兩地可滋陰益血黃蘗知母可滋陰降火火動則金衰天門麥門可以救金火盛則氣耗白朮甘艸可以養氣陳皮所以消痰利氣也童便何也丹溪曰凡陰虛火動熱蒸如燎服藥無益者非童便不能故加竹瀝何也丹溪曰經云陰虛則發熱竹瀝味甘性緩能除陰虛之大熱者寒而能補與薯蕷寒補義同故加又云竹瀝滑痰非助

以薑汁不行故加

○六味地黃丸　治形體瘦弱無力多困腎氣久虛寢汗發熱五藏齊損遺精便血消渴淋濁等症此藥不燥不溫補左尺腎水兼理脾胃少年水虧火旺陰虛之症最宜服之○治心腎不交消渴引飲加五味子二兩麥門冬三兩名腎氣八味丸○如過傷於陰致相火勝者加黃檗知母各三兩

壽世○加減益氣湯　治虛勞發熱口乾咳嗽吐痰喘急自汗四支困倦無力不思飲食大便泄瀉肚腹脹滿六脉浮數無力

蜜芪一　人參一錢　白朮一錢半　白茯苓一錢

陳皮　分　當歸一錢　酒芍　山藥

蓮肉各一錢　炙甘三分

薑棗水煎服○痰盛加半夏麯○嗽盛加五味子○口渴加麥門冬○腹脹加厚朴○胸痞加枳實○泄瀉加炒黑乾薑○嘔吐加薑炒半夏○脾滿加赭苓澤瀉木通○憎寒發熱加柴胡○元氣下陷加升麻○元陽虛憊加熟附子肉桂○楚氏曰案王節齋云此病屬火大便多燥然須節調飲食勿令泄瀉若胃氣復壞泄瀉稀溏則前項寒涼之藥難用矣急宜服藥理脾胃俟胃氣復然後用本病藥加[illegible]是也

火熾五心煩者人中白散乃良

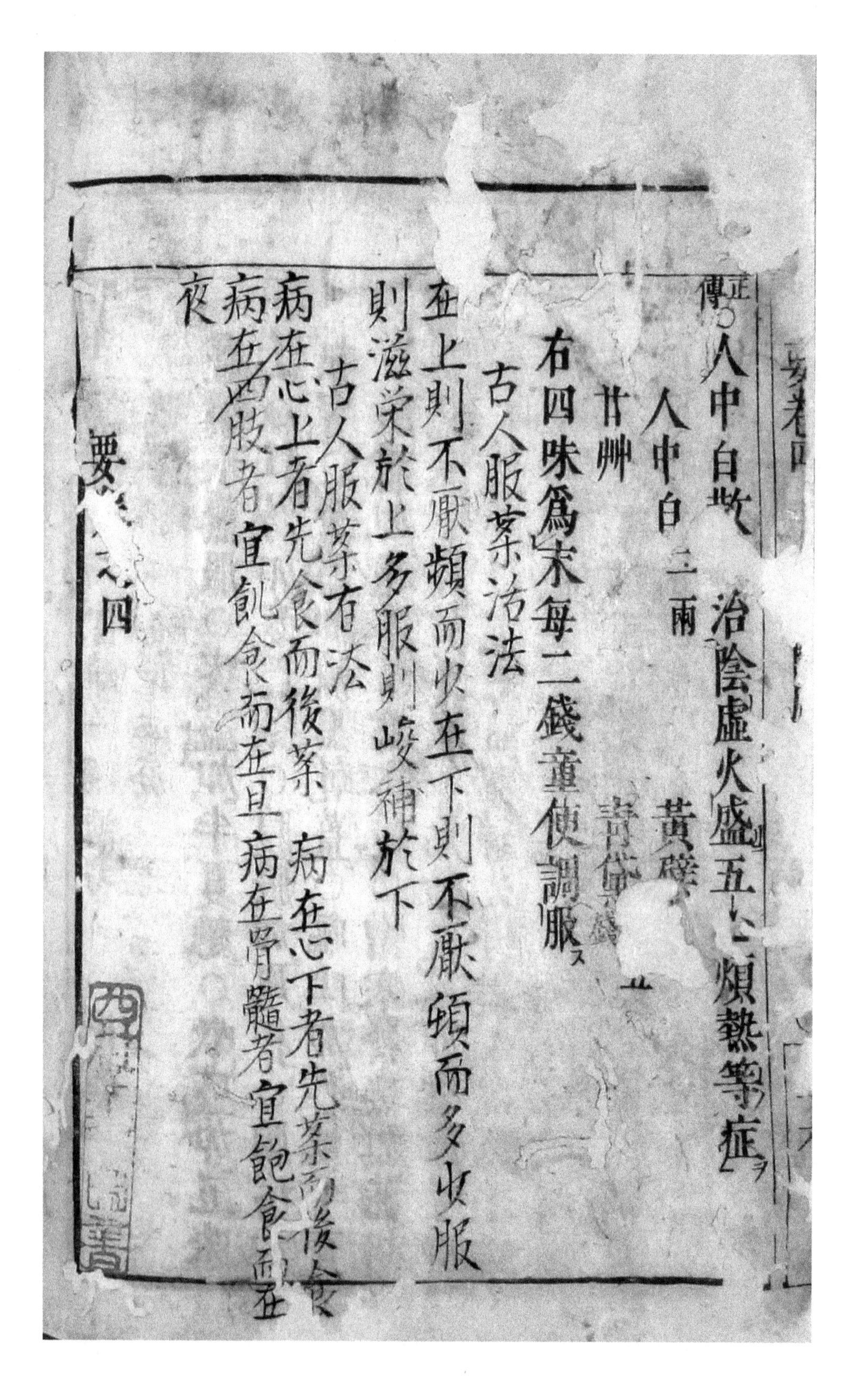

正傳人中白散　治陰虛火盛五心煩熱等症

人中白二兩　黄蘗

甘艸　青黛

右四味爲末每二錢童便調服

古人服藥活法

在上則不厭頻而少在下則不厭頓而多少服則滋榮於上多服則峻補於下

古人服藥有法　病在心上者先食而後藥　病在心下者先藥而後食病在四肢者宜飢食而在旦病在骨髓者宜飽食而在夜

要　四

察病輕

凡欲療病先察其源先候其機五臟未虛六腑未竭血脉未乱精神未散服藥必效若病已成可得半愈病勢已過命將難存自非明醫聽声察色至於診脉孰能知未病之病乎

五宜

肝色青宜食甘粳米牛肉棗葵皆甘

心色赤宜食酸犬肉麻李韭皆酸

肺色白宜食苦麥羊肉杏薤皆苦

脾色黃宜食鹹大豆豕肉栗藿皆鹹

腎色黑宜食辛黃黍雞肉桃葱皆辛

凡是合而服之以補精益氣凡此五者有辛酸甘苦鹹各有所利或散或收或緩或急或堅或軟四時五臟

毒藥攻邪

五穀為養

五果為助

五畜為益

五菜為充

五味所宜也